Collection « Les Chemins de la Sagesse »
dirigée par Véronique Loiseleur

D1482406

Les formules de
Swâmi Prajnânpad

Les formules de Swâmi Prajnânpad

COMMENTÉES PAR
ARNAUD DESJARDINS

FORMULES ET COMMENTAIRES
RASSEMBLÉS PAR
VÉRONIQUE DESJARDINS

LA TABLE RONDE
7, rue Corneille, Paris 6ᵉ

ISBN 978-2-7103-2601-4.

Sommaire

UNE RELATION CONSCIENTE

L'EXIGENCE DE LA VOIE

*En hommage à Swâmi Prajnânpad et au souffle novateur de sa lignée, à Arnaud Desjardins, l'ami spirituel qui, depuis trente ans, se consacre à la transmission de l'*adhyatma yoga*, à la communauté des frères et sœurs sur la voie, lecteurs ou disciples, qui s'abreuvent à cette source toujours nouvelle.*

Présentation

> « Quelle est *la* parole de Swâmi Prajnânpad qui, pour
> vous, résume tout l'enseignement, dont il vous suffit
> de vous souvenir avec une conviction totale et en lui
> étant fidèle pour que les dragons se couchent à vos
> pieds et que ce qui paraissait si terrible perde tout
> son pouvoir et devienne, au contraire, un allié[1] ? »

*L*e présent ouvrage appartient à une histoire, celle de
la transmission de la voie qu'Arnaud Desjardins a suivie auprès
d'un maître indien, Swâmi Prajnânpad. En septembre 1974,
Arnaud Desjardins fondait le Bost, en Auvergne, pour partager
les rudiments de cet enseignement avec les premiers élèves qui
s'étaient regroupés autour de lui, à peu près tous néophytes en
matière de spiritualité. Tous ceux d'entre nous qui avons
connu cette période se souviennent de l'intensité des « années
du Bost ». Nous avions tout à apprendre, ce qui nous rendait
d'autant plus réceptifs à la spécificité de la voie de Swâmi Prajnânpad qui, bien que s'inscrivant dans le courant hindou de
l'advaïta vedanta, se démarque cependant, par le caractère ori-
ginal et parfois même contestataire de son approche, de certains aspects de la tradition indienne.

L'ouverture du Bost coïncida avec la mort de Swâmi Prajnânpad. Il avait fallu neuf années d'intense mise en pratique
de la part d'Arnaud pour que s'accomplisse la promesse que
son maître lui avait faite, à l'époque où il redoutait que Swâmi
Prajnânpad ne meure avant qu'il n'ait fini sa propre ascèse

---

1. *Au-delà du moi*, Arnaud Desjardins, chap. « Le prix de la liberté ».

auprès de lui : « Swâmiji ne vous quittera pas jusqu'à ce que vous puissiez tenir sur vos propres pieds. »

Bien que la plupart d'entre nous n'ayons donc jamais connu « Swâmiji », sa haute stature nous devint peu à peu familière au travers des anecdotes qu'Arnaud nous racontait au sujet de ce maître remarquable mais surtout grâce aux « formules » dont Swâmiji émaillait les entretiens en tête à tête avec ses disciples — et en l'occurrence avec Arnaud. Ces phrases concises étaient chargées d'un contenu que nous n'allions pas cesser d'approfondir au fil des années.

La plupart des maîtres dispensent leur enseignement selon deux modes : l'un général qui s'adresse à l'ensemble des disciples, l'autre particulier qui concerne un disciple précis à un moment spécifique. Tout l'art du maître consiste à sentir l'instant où l'élève est mûr pour recevoir ce qui peut l'aider à cette étape de son cheminement. L'aide peut venir sous forme d'un geste, d'un regard, d'un silence ou d'une parole qui vient frapper l'élève dans la profondeur et agit comme un révélateur.

Toute démarche spirituelle suppose de se libérer d'un ensemble de conditionnements qui nous exilent de notre véritable nature et l'empêchent de se manifester. Ces empreintes, dont on ne saurait sous-estimer la puissance, se sont constituées au hasard de nos expériences — et bien souvent de nos expériences douloureuses — alors que la voie procède au contraire d'une approche méthodique et rigoureuse, éprouvée par des générations de maîtres et de disciples. Les expériences bonnes ou mauvaises spécifiques à un individu — et à lui seul — l'amènent à tirer des conclusions subjectives sur lui-même et sur l'existence en général, conclusions profondément enracinées dans son psychisme et auxquelles il croit dur comme fer mais qui n'ont rien à voir avec la réalité telle qu'elle est. Il vit donc la plupart du temps en porte-à-faux et, même s'il donne l'apparence du contraire et parvient lui-même à se laisser disperser par ses différentes réussites dans l'existence, il n'est pas en phase avec le monde réel mais avec un monde de sa fabrication.

Une grande part de notre transformation implique donc de remplacer peu à peu les fausses lois élaborées par le psychisme par la compréhension des véritables lois qui régissent l'univers, nous permettant ainsi d'accéder à une vision plus juste de nous-même et du monde. En nous mettant en contact avec les choses telles qu'elles sont et non plus telles que nous les rêvons et les déformons au travers de nos projections, cette nouvelle perspective nous amène peu à peu à sortir des situations conflictuelles que nous avions le plus souvent engendrées par ignorance et nous permet de vivre de plus en plus en harmonie avec les autres. Elle constitue la fondation solide sur laquelle peut s'enraciner notre croissance intérieure.

Les formules de Swâmiji œuvrent en ce sens. Elles ne sont pas à suivre scolairement au sens où on les prendrait dans l'ordre en essayant de les vivre avec application. Chacun est différent et l'étape actuelle de l'un n'est pas celle de l'autre. Mais les maximes de vie transmises par Swâmiji, si l'on s'en imprègne, finissent par former un substrat sain dans notre psychisme qui vient faire contrepoids à nos habitudes de pensée. Elles ressurgissent d'elles-mêmes, au moment opportun, pour confirmer une prise de conscience, renforcer notre mise en pratique ou tout simplement nous inspirer. Elles peuvent accompagner l'intégralité de notre démarche et, à certains moments, jouer même un rôle décisif, comme ce fut le cas pour Arnaud Desjardins, en 1971, avec ces simples mots : « Être, c'est être libre d'avoir. »

Ces formules, Arnaud Desjardins les a notées jour après jour, au fil des années, au sortir même de ses entretiens avec Swâmiji. Mais il va de soi que la vastitude de la relation de maître à disciple qui constituait l'essence de la transmission de Swâmi Prajnânpad — cette relation de cœur à cœur qui se déploie et s'approfondit avec le temps — ne peut être ici rendue. Cet ouvrage ne prétend donc pas exposer « l'enseignement » de Swâmi Prajnânpad[1], terme que lui-même récusait d'ailleurs, mais seulement partager avec les lecteurs les paroles qui ont jalonné la route d'un des élèves de celui-ci. Elles sont comme l'héritage particulier qu'Arnaud Desjardins a recueilli auprès de son maître pour nous le léguer ensuite. De même, les commentaires sélectionnés pour illustrer ces maximes ne représentent pas non plus l'intégralité de ce qu'Arnaud Desjardins transmet à ceux qui font appel à lui.

La plupart des paroles de Swâmiji sont à la fois métaphysiques et totalement concrètes. Le meilleur exemple en est l'application immédiate que Swâmiji donnait de la non-dualité : « Soyez non duel ici et maintenant », incitant l'élève à considérer tout état intérieur ou toute situation existentielle comme le support de sa mise en pratique. Le regroupement par thèmes ne rend donc pas toujours justice à la richesse de contenu de chaque formule.

Toute classification, même si elle se veut logique, procède inévitablement d'un choix qui appartient à l'auteur. Ce choix, je l'ai opéré en fonction de ce qui m'a paru pouvoir aider ceux qui se sont tournés vers cette voie, qu'il s'agisse de lecteurs qui se sentent concernés ou d'élèves engagés auprès d'Arnaud

---

1. On consultera à cet égard la remarquable synthèse de cette voie faite par Daniel Roumanoff, *Svâmi Prajnânpad, un maître contemporain*, volume I *Les Lois de la Vie*, volume II *Le Quotidien illuminé*, aux Éditions de La Table Ronde.

Desjardins lui-même. Un enseignement forme un tout cohé-
rent de connaissances et de vérités que l'élève acquiert
d'abord par bribes. Seul le maître a la vision d'ensemble dont
le disciple se rapproche au fur et à mesure de sa progression.
Encore faut-il que les notions fondamentales de la voie qu'il
suit soient claires pour lui. Puisse cet ouvrage contribuer,
parmi d'autres apports, à cette indispensable clarification.

Près de trente années se sont écoulées depuis les « débuts
du Bost » — auquel ont succédé les ashrams de Font-d'Isière
dans le Gard, puis d'Hauteville en Ardèche —, mais Swâmi
Prajnânpad, par l'intermédiaire d'Arnaud Desjardins, est toujours présent au cœur de nos existences. Car ce dont toute
lignée est porteuse — l'ensemble des influences spirituelles
qu'elle canalise — est une expérience vivante qui ne cesse de
s'approfondir avec le temps et de nourrir ceux qui ont choisi
d'en faire leur chemin.

*
* *

*Les formules ayant été prononcées en anglais sont restituées
dans leur langue d'origine, assorties de la traduction française.
Elles sont complétées par les commentaires qu'Arnaud Desjardins
en a faits dans ses différents ouvrages (ou par des extraits de cau-
series enregistrées, de méditations guidées ou de lettres à ses élèves[1]). Le lecteur plus particulièrement intéressé par l'une ou
l'autre de ces formules voudra bien se reporter aux ouvrages
d'Arnaud Desjardins dont nous signalons les références après
chaque citation.*

1. Ces citations sont signalées par un astérisque.

Certaines notions essentielles propres à Swâmi Prajnânpad auxquelles Arnaud Desjardins faisait souvent référence — comme la distinction entre voir et penser, l'émotion et le sentiment ou l'individu et la personne — ont également été intégrées, ainsi que quelques paroles que Swâmi Prajnânpad a prononcées dans des circonstances très précises et qui avaient valeur d'enseignement. Enfin, seuls les termes sanscrits dont la suppression aurait représenté une trahison de Swâmiji ont été conservés.

Les fondements
de la pratique

La question fondamentale

What do you want ?

Que voulez-vous ?

*U*ne terrible parole – dont je n'ai absolument pas mesuré le sens – a été les premiers mots que j'ai entendus de la bouche de Swâmiji : «*What do you want ?* » – « Qu'est-ce que vous voulez ? » Est-ce que vous voulez vous engager dans une aventure que toute l'histoire de l'humanité vous présente comme la plus grande, la seule qui conduise à la perfection au-delà de toute crainte et de toute souffrance, *mais qui, comme tout ce qui a une valeur immense, doit être payée très cher* ? Ou bien est-ce que vous voulez ce rêve de plus en plus généralisé dans lequel, sans avoir à traverser cette crise de mort et cette résurrection, on nous promet je ne sais quels pouvoirs miraculeux, quelle sagesse, quelle conscience supra-normale et autres merveilles ? Ce n'est pas parce que le mensonge a pignon sur rue et qu'il est partout répété par les gens cherchant à se rassurer que la vérité pourra être changée.

—— *Au-delà du moi*, chap. « Le prix de la liberté ».

«*What do you want ?* » demandait si souvent Swâmiji. Que voulez-vous ? Est-ce que vous le voulez vraiment ? Est-ce que vous en ressentez la nécessité impérative ? Voulez-vous vivre le chemin ou le rêver ? Voulez-vous oui ou non vous évader de la prison ?

—— *À la recherche du Soi*, chap. « Mahakarta, mahabhokta ».

Lors de ma première rencontre avec Swâmiji, j'étais à la fois très touché et très dérouté. Confusément, je sentais que quelque chose de tout nouveau allait commencer dans mon existence. Swâmiji m'a posé une simple question : «*What do you want ?* » C'est la question la plus simple. Vous êtes venu. Que voulez-vous ? J'ai répondu « atma darshan », la vision de l'atma, la vision du Soi. J'étais sincère. Depuis quinze ans, je pratiquais des techniques de vigilance et de méditation, depuis six ans je sillonnais l'Inde, je venais de vivre plusieurs mois en milieu tibétain, tellement impressionné par les grands rinpochés. Swâmiji a souri : «*Very nice*, très bien. » Je n'ai pas vu ce qui était contenu dans ce *very nice* très affectueux. Cinq ans après, je me suis retrouvé assis devant Swâmiji, les larmes aux yeux. J'ai demandé à Swâmiji : « Est-ce que Swâmiji se souvient de mes premières paroles ? » Swâmiji se souvenait. Mais cinq ans après, qu'est-ce que je voulais ? Je voulais si fort, si fort, si fort... quelque chose qui n'avait rien à voir avec la vision du Soi. Cinq ans pour en arriver là.

— *Le Vedanta et l'inconscient*, chap. « L'érosion du désir ».

La vigilance

Awareness is the very *sadhana* which will lead you to the goal.

La vigilance est l'ascèse même qui vous conduira au but.

La vigilance, c'est être parfaitement conscient de ce qui se passe au-dehors de nous et au-dedans de nous. Au-dedans de nous, c'est-à-dire la façon dont nous réagissons à ce avec quoi nous sommes en contact. C'est à la fois une présence à soi-même et une présence à la situation, une prise de conscience de soi et une prise de conscience de la situation. La vigilance vous permet de voir à quel point cet intérieur et cet extérieur sont, en fait, plus liés qu'on ne le croit au départ, combien l'extérieur n'existe que parce qu'il se manifeste en nous sous forme de sensations, d'émotions et de pensées, et combien, inversement, nos pensées sont projetées sur l'extérieur.

Ordinairement, il n'y a pas de vigilance, il y a seulement des fonctionnements, des pensées qui se succèdent selon les chaînes d'actions et de réactions, des sensations, des émotions, mais pas la conscience d'être. Il est indispensable de trouver la possibilité de conserver la conscience de soi tout en étant, en même temps, actif et conscient de ce qui se passe à l'extérieur de vous.

Si vous êtes attentif, vous verrez que, du matin au soir, vous vous laissez happer par les choses extérieures ou happer par vos rêveries intérieures et que la conscience de soi, la vigilance, a complètement disparu. La vigilance me permet de voir ce qui est au lieu de vivre en aveugle. La vigilance me permet de voir ce qui est au-dehors de moi – la circonstance que je rencontre, les conditions dans lesquelles je me trouve – et de voir la façon dont je réagis : je vois une émotion qui se lève en moi, je vois une crainte, je vois un refus, je le vois...

Vous avez en fait deux points d'appui : le point d'appui que vous pouvez trouver en vous-même et celui que vous trouvez hors de vous-même. Ces deux points d'appui sont utilisables et tous deux se renforcent. Certains atteindront la vigilance en prenant surtout appui sur ce qui se passe en dehors d'eux-mêmes et en le vivant de façon très consciente. D'autres prendront plutôt appui sur la conscience de soi proprement dite telle qu'elle s'affine et s'approfondit dans les moments de méditation.

En ce qui concerne la vigilance en prenant appui sur soi-même, cette vigilance est active quand vous êtes conscient de ce qui se passe dans votre pensée : vous n'êtes pas absorbé par les pensées, vous êtes le témoin des pensées ; quand vous êtes conscient de ce qui se passe dans votre cœur : tiens voilà une tristesse, tiens voilà une peur, tiens voilà une impatience, et que vous n'êtes pas emporté ; et conscient de votre corps : j'ai un peu mal au dos, j'ai une certaine fatigue, j'ai envie de vomir, j'ai les muscles des épaules contractés.

La vigilance peut aussi prendre comme point d'appui les situations concrètes dans lesquelles vous vous trouvez, et c'est un point d'appui très efficace. Si vous prenez appui sur le courant de l'existence lui-même et que vous vouliez simplement vivre cette existence telle qu'elle est, *consciemment*, vous y arriverez. Vous arriverez à voir comment vous réagissez aux situations et c'est la vision de vos réactions qui fera grandir en vous la conscience de soi. Vous pouvez, à chaque instant, voir que vous réagissez aux événements extérieurs, que vous n'êtes pas neutre, que vous n'êtes pas un avec la réalité, que vous n'êtes pas d'accord pour que ce qui est soit. En voyant vos réactions, en essayant de revenir à la réalité, d'adhérer à ce qui est, vous verrez que le déroulement même de la journée va vous ramener à la conscience de vous.

Le jour où vous aurez, en tant que chercheur spirituel, la conviction que vous devez être vigilant, vous le deviendrez. Si vous sentez l'importance d'une existence humaine et la gravité de perdre son existence, si vous sentez que la non-vigilance est vraiment la mort et que la vigilance est le chemin qui vous conduira au sens même de votre vie, si cette question devient vitale pour vous, vous serez vigilant, c'est certain. Vous aurez le regard sur l'extérieur et sur l'intérieur, qui est en fait la vraie méditation.

Dans cette vigilance, nous donnons vie à tout ce qui nous entoure. Nous le laissons être. À notre réel émerveillement, nous voyons que tout devient important, tout prend une valeur et, surtout, nous reconnaissons chaque élément de la manifestation ou, si vous préférez, chaque objet, dans son unicité. En vérité, si vous êtes vigilant, vous voyez tout à coup le monde entier « être ». Il n'y a plus d'appréciation de valeur qui distingue les moments intenses des moments mornes, les moments importants des moments insignifiants. Chaque instant est parfait, chaque instant est plein.

— *Au-delà du moi*, chap. « La vigilance ».

L'acceptation (être un avec)

Truth is so simple.
La vérité est si simple.

———◆◆———

Accept, accept.
> *Acceptez, acceptez.*

L'acceptation, c'est la vision pure et simple de ce qui est, ici et maintenant. C'est le non-refus que ce qui est soit.

Ici, maintenant, ce qui est *est*. Sur ce qui est, il n'y a aucune possibilité d'intervenir. On ne peut intervenir que sur ce qui sera ou ne sera pas dans une seconde ou dans une minute. Il s'agit d'une adhésion à la réalité relative, instant après instant, d'un non-conflit avec cette réalité.

— *Dialogue à deux voies*, chap. « L'existence en tant que voie ».

———◆◆———

It cannot be tolerated. It will not be tolerated anymore.
> *Cela ne peut pas être toléré. Cela ne sera plus toléré dorénavant.*

*L*e même Swâmiji qui disait « *Accept, accept* » utilisait aussi deux expressions « *It can't be tolerated* » ou « *It will not be tolerated anymore* », « Ça ne peut pas être toléré » ou « Ça ne sera plus toléré à l'avenir ». Quelle nuance faisons-nous entre accepter et tolérer ? Soyons bien précis : accepter, c'est reconnaître que ce qui est, est. Tolérer implique l'action et concerne non pas l'instant immédiat, mais le futur.

L'acceptation n'empêche pas d'agir.

> — *À la recherche du Soi*, chap. « L'acceptation ».

———•◆•———

There is no way out except acceptance.

Il n'y a pas d'issue en dehors de l'acceptation.

Cette idée d'acceptation, on la retrouve dans tous les enseignements spirituels et elle est généralement mal comprise. Elle correspond à ce que l'on appelait autrefois soumission à la volonté de Dieu. Mais qu'est-ce que cette volonté de Dieu ? Chacun va l'interpréter à sa façon. La volonté de Dieu, c'est ce qui se produit à chaque instant, c'est tout. Tout le reste est mental et mensonge. Voilà la première vérité qu'il faut entendre, recevoir en pleine figure comme un *challenge*, un défi à relever ou à ne pas relever. Et, à partir de là, nous pouvons agir. Mais ce principe ne supporte pas d'exception.

> — *À la recherche du Soi*, chap. « L'acceptation ».

Deux points doivent être distingués. Premier point : il y a une certaine acceptation, ou adhésion, ou non-création d'un autre que ce qui est. Ce premier point n'admet aucune nuance et aucune exception, il doit être tranchant comme une épée aiguisée, dur comme le cristal. Si nous admettons des souplesses, des accommodements, des compromis, c'est fini, le chemin spirituel s'arrête.

Le deuxième point est beaucoup plus nuancé et ne devient clair que peu à peu, à travers les mois et les années : c'est celui de l'action qui se situe dans un climat de réconciliation, l'action que l'on accomplit à partir de l'attitude fondamentale du oui. Et en ce qui concerne l'action, il est impossible de donner une réponse toute faite, valable pour tous quelles que soient les circonstances.

L'adhésion qui ne tolère aucune discussion, c'est celle qui s'accomplit ici et maintenant, sans aucune considération du futur : C'EST, mais uniquement dans l'instant. Et c'est ce « dans l'instant » qui fait toute la différence et nous permet d'accepter que ce qui est soit : immédiatement « oui », et ce oui doit être total. C'est ce oui qui est notre vraie liberté. Notre grandeur, notre dignité, notre espérance, c'est cette capacité que nous avons d'adhérer totalement à l'instant, sans nuance, même si nous nous trouvons dans des circonstances qui nous paraissent peu propices à l'acceptation. Mais l'adhésion dont je parle n'implique aucun engagement pour l'avenir[1].

———◆·———

See and recognize.
Voyez et reconnaissez.

*L*e mécanisme habituel de l'émotion est une division, une dualité. Je deviens deux : une moitié qui reconnaît « C'est » et l'autre moitié qui essaie de proclamer « Non cela n'est pas. » J'essaie de crier plus fort que la réalité. Une moitié de vous est bien obligée de constater « C'est » et l'autre moitié tente de nier l'évidence que vous avez sous les yeux. Dédoublement, division.

1. Préface d'Arnaud Desjardins, *Anthologie de la non-dualité*, Véronique Loiseleur, Éditions de La Table Ronde.

« C'est. » Terminé. La vérité, en toutes circonstances, toujours, est une, unique. Et moi je suis *un* et je dis « C'est ». Voyez et reconnaissez. Ici, maintenant, ce qui est *est*.

— *La Voie et ses pièges*, chap. « La tyrannie du passé ».

———•◆•———

Be *advaïta* here and now.
Soyez non duel ici et maintenant.

« Être un avec », « *To be one with* », qu'est-ce que cela signifie ? Dans l'état ordinaire de confusion, d'absorption ou d'identification au sens strict de ces termes, je suis entièrement pris par ce sur quoi se porte mon attention. Et *être entièrement pris par*, c'est exactement l'opposé de *être un avec*.

Au point de départ du chemin, il n'y a même pas la dualité, il y a une fausse unité, celle de l'identification et de la confusion. Ensuite, il y a un certain effort qui est la claire conscience de la dualité : il y a tout ce qui est autre que moi et la preuve de cette altérité est que rien n'est exactement comme je le voudrais. Sans cesse je reconnais cette dualité, je lui donne le droit à être. Je vis enfin dans la vraie dualité : il y a moi, il y a cette pièce qui, normalement, d'après moi, devrait être en ordre et que je trouve dans un désordre indicible ; j'ai une demi-seconde de non-adhésion, quelque chose se soulève qui dit non ; je le constate, je vois la dualité, la pièce, moi, et je reviens à l'adhésion, c'est-à-dire à la non-dualité.

À partir du moment où il y a cette vision absolument nouvelle du monde phénoménal, premièrement dans un accord absolu avec ce qui est d'instant en instant, deuxièmement dans la permanence de cette Conscience identique à elle-même et toujours présente, ce monde phénoménal se révèle sous un jour tout à fait différent de l'expérience habituelle. Il se révèle ou se manifeste comme la Grande Réalité. *Le jour où la surface est réellement perçue, la profondeur commence à se révéler. Le jour où l'apparence est réellement perçue, l'essence commence à se révéler.*

> — *À la recherche du Soi*, chap. « L'acceptation ».

« Être un avec », osons le dire, cela veut dire aimer.

> — *La Voie du cœur*, chap. « Sarvam kalvidam brahman ».

———◆◆———

Not what should be but what is.

Pas ce qui devrait être mais ce qui est.

Regardez en vous et autour de vous, partout il y a confusion, désordre, souffrance, conflit. Le Malin est à l'œuvre, parce que le déni, le « ça ne devrait pas être » est à l'œuvre : je refuse que ce qui est soit. Et c'est ce Malin ou ce mental qui vous coupe de la réalité du monde phénoménal. Si vous n'êtes même pas en relation directe avec le monde phénoménal, avec la réalité relative, comment pouvez-vous prétendre être en relation avec la Vérité absolue ?

> — *À la recherche du Soi*, chap. « L'acceptation ».

Le principe qui doit toujours vous guider est celui-ci : « Pas ce qui devrait être, mais ce qui est. » Et seulement ce qui est, dans le relatif, peut vous conduire à ce qui est dans l'absolu. Il n'y a pas d'autre chemin.

> — *La Voie du cœur*, chap. « Sarvam kalvidam brahman ».

———◆◆———

**Under all conditions and circumstances, truth is
always one without a second. Mind creates a second.**

> *En toutes conditions et circonstances, la vérité est
> toujours une sans un second. Le mental crée un
> second.*

*L*e mental n'arrête pas de fabriquer un monde parallèle
au monde réel, de comparer le monde réel au monde de son
cru, et ensuite d'accepter ou de refuser le monde réel suivant
qu'il est ou non conforme au monde illusoire de sa fabrication.
Le mental fait cela : il crée « deux ». Comment voulez-vous, si
vous vivez de cette façon-là, ne pas souffrir ? La souffrance ne
vient que de cette création d'un second par le mental. Si vous
viviez dans un seul monde au lieu de vivre dans deux mondes à
la fois, vous ne pourriez pas souffrir. La souffrance n'est faite
que de cette comparaison vaine et mensongère. Et encore, si ces
deux mondes vous leur donniez la même importance ! Mais ce
qui est proprement insensé, c'est que le mental considère
comme le monde véritable celui de sa fabrication.

Il faut déjà que vous opériez ce premier retournement
qui est de reconnaître que c'est ce monde-ci qui est réel, et
pas celui de votre mental, afin de revenir au monde réel. Et
là où il y a deux, il n'y aura plus qu'un. Ce retournement
intérieur consiste à ne plus donner la primauté à votre
monde illusoire mais au monde réel.

Ce que vous pouvez accomplir du matin au soir, quelles que
soient les conditions et les circonstances – il n'y a pas d'exception
– c'est de ramener le « deux » à « un ». C'est minute après
minute, dans les petits détails quotidiens de l'existence, que la

partie se gagne ou se perd. Toute circonstance la plus banale, la plus humble, est immense pour celui qui est engagé sur le chemin.

— *Au-delà du moi,* chap. « Un-sans-un-second ».

———•◆•———

**Swâmiji knows only that much :
to be one with.**

*Swâmiji ne connaît rien d'autre que :
être un avec*[1].

---

1. Comme beaucoup de sages hindous, Swâmiji parlait de lui-même à la troisième personne.

L'acceptation de soi-même

Accept yourself.
Acceptez-vous vous-même.

Quand, dans l'enfance, on nous a proposé une perfection que nous ne pouvions pas incarner, nous avons été divisés et nous nous sommes sentis défaillants par rapport à un idéal qui aurait été en fait flatteur pour notre vanité et nous aurait permis de nous sentir aimés et admirés par nos parents et notre entourage. Nous en arrivons donc à nous détester nous-mêmes d'être ce que nous sommes ou, selon une manière bien erronée de nous exprimer, de *n'être que ce que nous sommes*. Si j'étais autre — tout cela remonte à l'enfance —, je me sentirais tout le temps aimé, jamais critiqué, jamais refusé et, qui plus est, admiré. Il y a scission entre ce que je voudrais être et ce que je suis, alors qu'en vérité, à chaque instant, je ne peux être que ce que je suis. Sur la base de cette division, qui n'a aucune valeur spirituelle et qui conduit au non-amour de soi, je ne peux pas progresser. Un être divisé ne peut pas croître, évoluer. Un être unifié inévitablement progresse.

C'est un point vraiment essentiel de ne surtout pas confondre l'amour heureux pour soi-même avec l'amour-propre, la vanité ou la susceptibilité qui sont au contraire des marques flagrantes de non-amour de soi. Parce que je ne peux pas m'aimer moi-même tel que je suis, je deviens très vulnérable à l'admiration, à la louange ou, au contraire, à la critique. Nous pouvons bien sûr nous sentir déroutés au premier abord par un enseignement qui nous demande de nous aimer nous-mêmes alors qu'on nous a toujours dit qu'il fallait s'oublier soi-même pour aimer les autres et que tout le mal venait justement de ce qu'on s'aimait soi-même au lieu d'aimer les autres. Par un étrange paradoxe, nous trouvons tout à fait normal qu'un sage nous aime d'un amour inconditionnel et absolu mais, nous, nous ne pouvons pas nous aimer parce que nous ne sommes pas ce que nous voudrions être ou ce que, selon les modèles qu'on nous a proposés, nous devrions être.

Il faut, d'une manière ou d'une autre, réussir à se pardonner complètement et à s'aimer soi-même inconditionnellement grâce à l'ensemble de toutes les pratiques d'une voie.

— *Dialogue à deux voies*, chap. « Travailler avec les émotions ».

Le chemin commence avec l'amour de soi-même et non avec la mutilation ou la destruction de soi-même. Et toute une part du chemin consiste à s'occuper avec amour de l'ego, pour lui permettre de s'effacer, de grandir et de se transformer.

— *À la recherche du Soi*, chap. « L'état sans désirs ».

—◆—

No denial in any form whatsoever.
Aucun déni, sous quelque forme que ce soit.

No denial consiste à voir hors de vous et en vous ce qui est.

— *Le Vedanta et l'inconscient*, chap. « L'érosion du désir ».

Le *denial*, c'est tenter d'affirmer que ce qui est n'est pas. Mais ce *denial* peut aussi se produire de façon semi-consciente ou de façon complètement inconsciente. À ce moment-là, ce *denial* devient ce qu'on appelle en psychologie moderne censure, refoulement (repousser ce qui nous déplaît dans l'inconscient), ce que Swâmiji appelait simplement *repression*, répression. *No denial*. Ne jamais nier, dénier, renier, refuser, désavouer ce qui est. Ce *denial* est la forme la plus terrible du mensonge. Je ne suis plus dans la vérité. Je peux être tout à fait sincère à la surface et être dans le *denial* en profondeur. Je refuse de voir certaines vérités extérieures à moi ou certains amours, certaines haines, certains désirs, certaines peurs, tout ce qui me gêne. J'essaie de faire comme l'autruche qui, paraît-il, enfouit sa tête dans le sable pour ne pas voir le danger qui la menace. Eh bien, nous, ce n'est pas notre tête que nous enfouissons dans le sable, c'est ce qui nous menace que nous essayons d'enfouir dans le sable du *denial* pour ne plus le voir. À partir de la naissance, pratiquement, une existence est fondée sur le *denial*.

Vous pouvez accepter cette équation : le mental, c'est le *denial*, toujours autre chose que ce qui est : ça devrait être, ça ne devrait pas être.

— *À la recherche du Soi*, chap. « L'acceptation ».

———•◆•———

Beware of idealism.
Méfiez-vous de l'idéalisme.

Cet aspect de l'enseignement de Swâmiji a été d'autant plus difficile à entendre pour moi que depuis ma jeunesse, j'avais compensé beaucoup de mes faiblesses par un rêve de sagesse et de sainteté et qu'une éducation religieuse avait fait grandir en moi l'idéal d'un homme pur, noble, généreux, courageux, une espèce de héros : le vrai chrétien, le vrai disciple du Christ. J'ai été mal à l'aise quand j'ai vu avec quelle sévérité Swâmiji parlait de l'idéal. « L'idéal est le mensonge de ceux qui ont peur de la vérité », disait Swâmiji. L'idéal est la

compensation à toutes les lâchetés, toutes les faiblesses. C'est
vrai.

— *Le Vedanta et l'inconscient*, chap. « L'érosion du désir ».

———•◆•———

**Voice of the father says it is bad,
Swâmiji says it is not bad.**

> *La voix du père dit que c'est mal,*
> *Swâmiji dit que ce n'est pas mal.*

*V*ous avez tous une certaine idée de ce qu'est le célèbre
surmoi de la psychanalyse. En ce qui me concerne, j'avais reçu de
mon père une éducation très idéaliste mais pas toujours réaliste
par rapport à mes possibilités du moment. Certaines actions, qui
n'auraient eu aucun sens de la part d'un sage ou d'un saint mais
qui pouvaient avoir leur sens pour un être en chemin, m'apparaissaient extrêmement coupables. Mais un renoncement mensonger
ne m'apportait que division et frustration. Swâmiji m'a donc
inlassablement ramené à ma vérité du moment, tout en me faisant
pressentir une liberté qui seule, selon ses propres termes, faisait la
dignité d'un être humain.

Inutile de dire que cette parole est une de celles dont le
souvenir fait lever dans mon cœur une immense gratitude à
l'égard de Swâmiji*[1].

———•◆•———

1. Les citations extraites d'enregistrements ou de lettres n'étant pas dans le
domaine public ne sont pas référencées. Elles sont indiquées par un simple astérisque.

In the relative, Arnaud, in the relative.

Dans le relatif, Arnaud, dans le relatif.

Chaque fois que j'avais tendance à me demander l'impossible, que j'imaginais une perfection illusoire — en d'autres termes que je refusais mes limites —, Swâmiji me ramenait à la réalité : « Dans le relatif, Arnaud, dans le relatif. »

N'imaginez pas une perfection idéale qui n'existe pas*.

———•◆•———

Do you want to be wise or to appear to be wise ?

Est-ce que vous voulez être sage ou avoir l'air sage ?

Cette nostalgie d'un certain rêve que vous portez en vous (le « surmoi » en psychologie moderne, ou « l'idéal du moi ») essaie d'imiter, prétend, juge, décide, méprise. Vous vous identifiez à cette demande que vous portez en vous-même ; et tout ce qui n'y correspond pas, tout ce qui ne vous convient pas, vous le refusez.

Il y a en vous un personnage qui prétend : « C'est moi le vrai " je ", malheureusement je dois traîner ces défauts, ces lacunes, ces faiblesses. Mais ce sont les défauts, les faiblesses, alors que ma vérité à moi, c'est la sagesse, c'est l'idéal. Ces défauts sont là mais, du moment que je les qualifie de défauts, je me distingue, je ne les assume pas ; je ne me vante pas d'être menteur, je ne me vante pas d'être faible en face des femmes, je ne me vante pas d'être timide et douillet, je ne me vante pas d'être nerveux, je ne me vante pas d'être emporté — je *me* juge sévèrement, je reconnais que c'est mal ; donc c'est comme si j'en étais libre. Ce à quoi j'accorde vraiment de la valeur, c'est la sagesse, la force… »

Si vous êtes engagé sur un « chemin », votre idéal fait que vous n'acceptez pas de ne pas être un sage. Mais voulez-vous être sage ou avoir l'air d'un sage ? Ce n'est pas le même but, ce n'est pas le même chemin, ce n'est pas le même enseignement. Une part de nous ne veut pas être un sage ; cela nous arrangerait tellement, et à bien meilleur compte, d'avoir l'air d'un sage. Voyez quelle dualité vous fabriquez à l'intérieur de vous !

Comment échapper à cette impasse totale dans laquelle une part de vous veut mettre à la raison une autre part de vous, c'est-à-dire pose déjà une dualité ? En comprenant comment « être un avec », ici, maintenant, dans le relatif. Et, chaque fois que le mental a cessé d'adhérer à la réalité, revenir à ce qui est.

— *Au-delà du moi*, chap. « Le yoga de la connaissance ».

—◆—

If I am a devil, let me be a devil.
Si je suis un démon, eh bien je suis un démon.

Cette formule ne prône certes pas la complaisance envers nous-mêmes. Elle répond à l'exigence de vérité : se voir tel que l'on est, quoi qu'il en coûte, et non pas tel que l'on se rêve. Elle est à rapprocher de la condition que Swâmi Prajnânpad posait aux premiers aspirants qui voulaient s'engager auprès de lui : « Êtes-vous prêt à découvrir en vous le meilleur du meilleur et le pire du pire ? » Certains, paraît-il, ne passaient pas le test de cette question et préféraient partir.

Nous abordons la voie avec la mentalité ordinaire : nous voulons nous améliorer, supprimer les aspects de nous que nous n'aimons pas, développer ceux qui nous valorisent. Mais l'exigence de la voie est d'un tout autre ordre ; elle demande l'abandon de cette perspective dualiste au profit de la seule vérité ; elle suppose d'être prêt à perdre bien des illusions sur soi-même, de renoncer à son « image de marque », ce qui ne se fait pas sans déchirement.

Quoi que nous découvrions en nous, il ne s'agit pas de savoir si c'est bien ou mal mais si *c'est* ou non. La prise de conscience, en elle-même, est libératrice, à condition d'oser voir en pleine lumière, dans toute leur crudité, certains aspects de nous-mêmes*.

————•◆•————

Can you accept that the worst of the worst is in you and the best of the best is in you ?

Pouvez-vous accepter que le pire du pire est en vous et le meilleur du meilleur est en vous ?

Swâmiji utilisait le poids de sa prestance et de sa dignité, l'autorité qui émanait de lui, pour contrebalancer en nous toutes les habitudes acquises à travers l'éducation, les bonnes manières, les principes, et nous convaincre qu'il n'y avait rien de mal et rien de condamnable dans ce qui était au fond de nous-mêmes. Ce sont simplement des effets de causes, les traces de blessures, de souffrances, d'échecs, de rêves non réalisés qui se sont accumulés en nous. Non seulement il n'y a rien de mal à « voir » le pire en vous, mais ce qui est réellement « mal », si on veut employer ce mot, c'est de ne pas avoir le courage de la vérité.

C'est une nouvelle morale qui apparaît, celle de la vérité et de l'honnêteté : qu'est-ce qui existe au plus profond de moi ? C'est tout. La plongée dans son monde intérieur doit se faire avec une nouvelle éthique, une éthique scientifique, le respect absolument sacré de la vérité, le désir non moins sacré de ne plus être dans le mensonge.

La condamnation de vous-même vous fait vivre dans le conflit et dans la peur. Vivre dans la peur vous interdit l'amour et vous maintient dans l'égoïsme. Et c'est cette absence d'amour qui est la cause du « mal ». En vous aveuglant à ce que vous croyez mal à l'intérieur de vous, vous vous condamnez à faire le mal dans votre vie courante par ignorance et par aveuglement.

— Le Vedanta et l'inconscient,
chap. « La purification de l'inconscient ».

———•◆•———

Swâmiji tears off the masks.
Swâmiji arrache les masques.

« Prétendre » est une forme de tension. Dans le triste résultat de la formation ou de l'éducation que nous avons reçue (ou plutôt que nous n'avons pas reçue), nous prétendons. D'une façon générale, je peux témoigner que dans les sociétés traditionnelles non dégénérées, il n'y a, comparé à l'Europe, pas de prétention. On ne cherche pas à prétendre quoi que ce soit, à être quoi que ce soit d'autre que ce que l'on est. Les gens sont eux-mêmes. Ainsi ces soufis que j'ai connus, non pas les grands maîtres mais les disciples : le boulanger de Maïmana, le garagiste de Kandahar, le tailleur de Tcharikar, le rétameur du bazar de Kabul... Des hommes qui ne prétendent pas, qui sont eux-mêmes, donc qui sont détendus.

Comparés aux Orientaux, les Occidentaux vivent dans la prétention. Leur insécurité intérieure est telle qu'ils sont tout le temps obligés de porter des masques, de prétendre être quelque chose. Cette prétention, qui n'est même plus consciente, constitue aussi un facteur d'impossibilité à vivre dans le complet relâchement de toutes les tensions. L'abandon de cette tension particulière et tragique de la prétention voudrait dire renoncer à tous les masques, à tous les mensonges dont on s'est affublé, dont on se protège, pour redevenir simplement soi-même.

Ces masques auxquels on se cramponne sont une prison. Quand le gourou les arrache, nous hurlons, tant nous y sommes habitués.

Tant que ces masques sont là, il ne peut y avoir aucune détente.

—— *À la recherche du Soi,* chap. « L'état sans désirs ».

L'action

Imperative necessity is the key to all success.

*La nécessité impérative
est la clé de tout succès.*

———◆——

Before any action, check the actor.

Avant toute action, vérifiez celui qui agit.

Si nous ne quittons pas le domaine rigoureux du c'est, ici et maintenant, nous pouvons envisager celui qui en découle tout naturellement, celui de l'action qui ne prend son sens que si le premier point, c'est-à-dire l'adhésion au réel, est absolument clair. Quelle action ? De quelle manière vais-je essayer d'infléchir l'avenir ? Où est-ce que j'ai raison ? Où est-ce que je me trompe ? Quelles sont les conséquences de mes actions ? Qu'est-ce qui me rend heureux ? Qu'est-ce qui ne m'apporte pas le bonheur ? Qu'est-ce qui va me faire progresser sur le chemin de l'effacement de l'ego, de la paix immuable ? Quelles sont les motivations de mes actions ? Mes peurs, mes désirs ? Comment est-ce que je fonctionne ? Qu'est-ce qui me pousse à agir ? Existe-t-il une action plus juste que les autres et qui me fera progresser ? Et nous nous trouverons encore un certain temps dans le doute ; il ne faut pas espérer une réponse immédiate mais être patient et

persévérant : c'est l'ensemble du chemin qui nous conduira peu à peu à cette action juste[1].

———•◆•———

To do, there must be a doer.
> *Pour faire, il faut un agissant.*
> *Pour agir consciemment, il faut quelqu'un*
> *qui soit là.*

First the doer, then the deeds.
> *D'abord l'agissant, ensuite les actes.*

Le manque d'unité intérieure, la succession de personnages qui se lèvent en nous et disparaissent, remplacés par
un autre, la puissance efficace de l'inconscient pour nous pousser à des réactions dont nous ne savons pas les véritables motivations, tout cela nous empêche de « faire » et une première
partie du chemin, qui peut durer quelques années, sera la
perte d'une série d'illusions à cet égard et la découverte expé-
rimentale de cette incapacité à faire.

Pendant longtemps, l'inconscient demeure le maître si un
effort intense, prolongé, par moments héroïque, n'a pas été
mis en œuvre, soit par une plongée directe dans l'inconscient,
soit par une vision immensément lucide du fonctionnement de
cet inconscient dans l'existence.

— *Tu es Cela*, chap. « Réaction, action, spontanéité ».

Il ne peut y avoir d'action digne du nom d'action qu'à
partir du moment où il n'y a pas d'émotion. Tant qu'il y a la
moindre émotion, soit de peur, soit d'enthousiasme, l'action

---

1. Préface de l'*Anthologie de la non-dualité, op. cit.*

n'est qu'une réaction. Au niveau du mental et de l'émotion, il ne peut y avoir que réaction. L'action commence au niveau de la véritable intelligence et du sentiment. La réaction est faite pour moi en tant qu'ego, l'action est accomplie en fonction d'une nécessité qui dépasse les attractions et les répulsions de l'ego. La différence la plus manifeste entre la réaction et l'action, c'est que la réaction ne tient compte que d'un tout petit nombre de paramètres d'une situation donnée. L'action juste tient compte de *tous* les éléments qui composent la situation. Le mental ne voit que certains éléments, ceux qui lui font particulièrement peur ou ceux qui l'attirent particulièrement, et il est aveugle aux éléments qui ne concernent pas ses émotions. L'intelligence[1], au lieu de *penser* une situation, la voit et la reconnaît telle qu'elle est. Elle tient compte de la totalité de cette situation de façon neutre, objective.

> — *À la recherche du Soi*, chap. « Mahakarta, mahabhokta ».

Je dois être un agissant. Que je sois là, moi, vigilant, et pas une émotion, et pas une impulsion, et pas une réaction. Que je sois là, moi, de plus en plus complet, intégral, rassemblé, entièrement présent, pour apprécier la situation et agir. Et que j'agisse avec la vision d'une situation totale et pas seulement d'un élément.

> — *Tu es Cela*, chap. « Réaction, action, spontanéité ».

———•◆•———

---

1. *Buddhi*, en sanscrit, l'intelligence objective.

Don't mistake reaction for action.

Ne confondez pas la réaction avec l'action.

*P*ar la connaissance de soi, vous découvrirez peu à peu, et c'est déjà très important, que vous n'agissez pas. C'est une découverte, parce que les hommes vivent dans l'illusion d'agir : des mécanismes tout-puissants sont à l'œuvre en vous, sur lesquels vous n'avez d'abord aucun pouvoir, qui ne tiennent pas compte de la réalité du monde phénoménal, et qui vous condamnent à vivre dans votre monde. Ces mécanismes suivent implacablement et stupidement leur propre loi. Certains destins ont été ravagés par ce genre de réactions et, vus du dehors, ils paraissent n'avoir été qu'une suite d'erreurs. Un premier aspect de la vision du réel, c'est celui de ce divorce poignant, tragique, entre la plupart des existences et la réalité relative. Il consiste à voir, autour de soi, les autres, mus par leurs propres mécanismes, aller de réactions en réactions au long d'une existence faite de souffrances.

— *Tu es Cela*, chap. « Réaction, action, spontanéité ».

Nous agissons sans cesse, tout le temps, mais l'homme, ordinairement, n'agit pas consciemment. Ses actions ne sont pas des actions mais des réactions à des stimuli ou à des chocs venant de l'extérieur. Ces réactions produisent des effets, des conséquences qui sont parfois celles que nous avons voulues mais qui sont aussi toutes sortes de conséquences que nous n'avons ni voulues ni prévues. Pour échapper à ces conséquences de nos actions, nous allons nous engager dans d'autres actions qui porteront des fruits que nous n'aurons pas voulus, et ainsi de suite…

La première erreur, ou la première des illusions, c'est de considérer que, dès le départ, sans être passé par une discipline qui est une véritable éducation, vous êtes unifié pour décider ou pour agir.

Si un être humain est simplement mené par ce qu'il aime, ce qu'il n'aime pas, ses envies et ses craintes, il n'y a pas de fin à cet enchaînement des actions, des effets des actions et de la nécessité de nouvelles actions. Il n'y a là qu'aveuglement tragique, irresponsabilité, absence totale de liberté : des marionnettes mises en marche par des circonstances extérieures, essayant de parer les coups de minute en minute ou d'accomplir des desseins qui montent de la profondeur de nous-mêmes à la surface et qui nous emportent. On moissonne ce que l'on a semé, et il est impossible de briser les chaînes de causes et d'effets et d'empêcher les actions de produire leurs fruits. Chacun agira selon ses motivations personnelles égoïstes – c'est-à-dire relevant de l'ego, même s'il s'agit d'actions que nous appelons altruistes – et ensuite devra en porter les conséquences.

> — *À la recherche du Soi*, chap. « Karma et dharma ».

———◆———

What is the justice of the situation ?
Quelle est la justice de la situation ?

*P*resque tous vos comportements sont mus non par la nécessité de la situation mais par vos nécessités intérieures. Ce ne sont pas des réponses, ce sont des réactions. Même pas « impulsion » mais plutôt « compulsion » : j'y suis obligé.

> — *Tu es Cela*, chap. « De l'enfant au sage ».

Qu'est-ce qui peut vous permettre d'agir sans créer de chaînes d'actions et de réactions ? C'est l'action non égoïste. « Qu'est-ce qui doit être fait ? » et non plus : « Qu'est-ce que,

moi, j'ai envie de faire ? » pour ma sécurité, pour ma joie. Il
est bien entendu que nous cherchons le bonheur, la sécurité et
la joie. Mais apparaît un jour une attitude qui est l'attitude
religieuse : « Cherchez premièrement le Royaume de Dieu et
sa justice et tout le reste vous sera donné par surcroît. » Faites
confiance à la Providence ou, en d'autres termes, soumettez-
vous à la marche de l'univers ; soyez cosmocentrique et non
plus égocentrique. Qu'est-ce qui doit être accompli ? C'est
tout. L'action est une réponse, la réponse juste qui s'impose.
Je ne me demande plus ce dont, sur l'instant même, j'ai
envie mais, à l'instant même, ce qui doit être fait.

— *Tu es Cela*, chap. « Réaction, action, spontanéité ».

———•◆•———

**The perfect action for you is what will conduce to
your happiness at the time, place and circumstance
you find yourself in.**

*L'action parfaite pour vous est celle qui
contribuera à votre bonheur du moment, dans le
lieu et dans les circonstances où vous vous trouvez.*

Comment savoir, lorsque vous agissez, si vous allez ou
non dans le sens juste ? Le critère que votre action vis-à-vis
d'autrui est juste, c'est votre sentiment intime de détente,
d'aisance, c'est votre paix du cœur, votre unification intérieure. Dès que nous ne sommes plus dans la vérité, nous res-
sentons une forme ou une autre de malaise. Nous n'avons pas
cette impression de bonheur parfait qui peut subsister même
dans des conditions difficiles. On en revient toujours à la
même question : action ou réaction ? Est-ce que j'agis consciemment ou compulsivement ?

Si vous voulez plonger dans la profondeur, méditer ou prier pour mieux savoir l'action qui vous incombe, faites-le. De la profondeur de vous-mêmes, d'un niveau plus réel en vous, la réponse montera peu à peu et vous guidera. Voilà, ici et maintenant, ce que la situation me demande, je le fais et c'est tout. Rien ne doit se rajouter : c'est ce que j'ai senti juste aujourd'hui, en essayant de faire taire mon égoïsme du mieux possible, de sortir du monde limité de mes aversions et de mes penchants naturels, compte tenu de tous les paramètres dont je peux être conscient. Ces paramètres incluent non seulement le contexte dans son ensemble mais également vous-mêmes qui êtes insérés dans ce contexte, y compris avec vos émotions actuelles. C'est une manière de se situer à chaque instant : pour moi, tel que je suis, qu'est-ce qui est juste même si cela ne correspond pas à la morale officielle ? Peut-être dans cinq ans l'action juste pour vous sera-t-elle de faire le contraire de ce que vous faites aujourd'hui.

Voilà ce qui doit être fait, compte tenu de la totalité de la situation, de tous les paramètres, autant que je puisse le sentir aujourd'hui, et en acceptant bien entendu, de tout mon cœur, les conséquences heureuses et fâcheuses de mon action.

— *En relisant les Évangiles*, chap. « Le Bien et le Mal ».

———◆———

Deliberate living.
Vivre consciemment.

Une vie menée dans l'incohérence ne peut pas vous conduire à la liberté intérieure. Il n'est donc pas possible de progresser si l'existence entière n'est pas réorganisée.

Il y a à cela bien des raisons mais une des plus importantes est que mettre de l'ordre dans vos existences vous permet d'économiser énormément d'énergie. Vous avez à peu près assez d'énergie pour vivre de la façon ordinaire, c'est-à-dire dans le sommeil, sans vigilance, sans conscience de soi. Mais pour que la vigilance, porte ouverte sur les états supérieurs de conscience, s'établisse, il vous faut une énergie fine, subtile. Or, chaque fois que nous voulons raffiner quoi que ce soit, une grande quantité de matière grossière est nécessaire pour obtenir une plus petite quantité d'énergie ordinaire. Il nous faut donc une grande quantité d'énergie ordinaire, d'énergie grossière, pour pouvoir disposer de cette énergie fine permettant la présence à soi-même et le sentiment de soi, qui sont le chemin de la Conscience du Soi.

Il n'y a pas d'immenses possibilités d'augmenter votre approvisionnement en énergie. Mais ce qui vous est possible, c'est de diminuer, dans des proportions que vous ne soupçonnez même pas, votre gaspillage d'énergie. Et le moyen le plus efficace pour libérer cette énergie au lieu de la gaspiller à tort et à travers, c'est de réenvisager vos existences et de voir partout où vous devrez remplacer l'incohérence par la conscience et le désordre par l'ordre juste, le dharma. Si vous voulez vraiment réussir à vous éveiller, vous découvrirez qu'il y a de nombreux aspects de votre existence qui peuvent être transformés, mis en ordre. C'est ce que Swâmiji appelait la vie consciente, *deliberate living*, une vie que l'on décide, que l'on mène sciemment dans chaque petit détail.

Cette existence purifiée, dont tout acte inutile est éliminé, vous conduira à une finesse de perception qui permet de s'arracher à la lourdeur habituelle. Vous pouvez sentir qu'il y a le mouvement de pesanteur qui vous maintient dans le sommeil et un mouvement qui vous élève. Vous savez que le moment le plus difficile, pour les lourds Boeings d'aujourd'hui, c'est le décollage où la consommation de carburant est la plus intense. Puis, quand l'avion a atteint sa vitesse de croisière, il consomme moins de carburant que lorsqu'il doit s'arracher au « sol ». Cela, vous aurez à le vivre un jour et à sentir que vous avez enfin quitté le niveau habituel d'action et de réaction, d'émotions, de pensées qui tournent dans le même cercle, que vous êtes passé dans une autre dimension par ce « décollage » intérieur.

— *Au-delà du moi*, chap. « Vivre consciemment ».

———•◆•———

What, why, what for, how ?

Quoi, pourquoi, pour quoi (dans quel but), comment ?

*L*a vie juste est un fonctionnement conscient, délibéré. L'homme doit aller de l'avant dans le voyage de sa vie avec les yeux ouverts : quoi ? pourquoi ? dans quel but ? comment ? Sur le chemin vers le Soi, l'homme ne doit commettre aucune action sans dessein. Agir sans savoir pourquoi on le fait, quand ce n'est pas agir sans savoir même qu'on le fait, signifie qu'on fonctionne pour rien, que sa propre existence n'est rien et qu'on ne va nulle part. Dans une vie consacrée à la vérité, aucun acte n'est possible sans que cet acte ait une raison et un but. Cette vigilance devient possible progressivement, d'abord avec effort, ensuite sans effort.

— *Monde moderne et sagesse ancienne*, chap. « Le chemin de l'être ».

———•◆•———

Be what you appear to be,
do what you appear to do.

Soyez ce que vous paraissez être,
faites ce que vous paraissez faire.

Le chemin est fait de vérités de La Palice dont on tire toutes les conclusions et toutes les conséquences. Ou bien je suis dans une situation, ou bien je n'y suis pas. C'est ou l'un ou l'autre, il n'y a pas de troisième terme. Ou bien je fais une chose, ou bien je ne la fais pas. Et si je fais une chose, je dois la faire bien, la faire complètement, la faire comme un bon acteur, un bon actif, un bon agissant. Si, par exemple, bien malgré moi, j'attends l'autobus sous la pluie, je me trouve, juste maintenant, distribué dans le rôle de l'homme qui attend l'autobus sous la pluie. Ce rôle, je dois le jouer de façon parfaite. Si vous observez votre propre existence ou celle des autres, vous verrez combien cette plénitude dans l'instant est rare, combien de minutes s'écoulent dans lesquelles vous refusez de bien jouer votre rôle, dans lesquelles vous n'êtes pas ce que vous êtes apparemment, dans lesquelles vous ne faites pas ce que vous faites apparemment. Je suis apparemment quelqu'un en train d'attendre l'autobus sous la pluie. Intérieurement, je suis tout, sauf cela. Je suis quelqu'un qui refuse d'attendre l'autobus sous la pluie. « Soyez ce que vous paraissez être. »

— *À la recherche du Soi*, chap. « Karma et dharma ».

Être implique être pleinement, ici et maintenant, alors que le mental a toujours tendance à créer une division, une dualité, un écran, une séparation. Ce qui maintient, ce qui soutient[1], c'est cette vérité de l'être, instant après instant,

---

1. *Dharma* en sanscrit. Ce terme est repris et explicité au chapitre « Le chemin pour "être" ».

cette conformité de la profondeur et de l'apparence, cette conformité de ce que l'on est et de ce que l'on est censé être. Le chemin consiste à s'efforcer d'être ce que l'on paraît être, ce que l'on est supposé être : un prêtre peut s'efforcer d'être un prêtre, un médecin d'être un médecin – non un bon prêtre ou un bon médecin, mais plus simplement et plus justement, un vrai prêtre, un vrai médecin. La dignité de l'homme est dans l'effort.

— *Monde moderne et sagesse ancienne*, chap. « Le chemin de l'être ».

———•◆•———

Internally, actively passive ; externally, passively active.

Intérieurement, activement passif ; extérieurement, passivement actif.

« *E*xtérieurement, passivement actif », veut dire actif mais avec un non-agir, un lâcher-prise, une soumission intérieurs. Et pourquoi « intérieurement, activement passif » ? Si vous n'exercez pas une certaine activité pour vous rendre passif, vous ne serez pas silencieux intérieurement : vous serez agité, des pensées viendront. La moindre impulsion motrice est une action, une pensée est une action mentale. Si vous vous contentez de ne rien faire, « allongez-vous, relâchez-vous, faites le vide, ne pensez à rien », au lieu de ne penser à rien, vous allez vous laisser happer par les associations d'idées, les distractions et vous ne serez nullement passif. Vu du dehors, vous resterez immobile, mais intérieurement ? Extérieurement, soyez passivement actif, comme un instrument de la vérité ayant une compréhension supérieure à la

compréhension ordinaire du mental. Intérieurement, soyez
activement passif, vigilant.

— *Approches de la méditation*, chap. «Tête, corps et cœur».

———◆———

What you have to do, do it now.

Ce que vous avez à faire, faites-le maintenant.

« Ce que vous avez à faire, faites-le maintenant » fait
partie de l'ordre et de la mentalité qui n'acceptent plus les
excuses vis-à-vis de soi-même. Ce que j'ai à faire, je le fais
maintenant, pas tout à l'heure, pas cet après-midi, pas demain.
Il y aura des exceptions, mais elles resteront exceptionnelles.

Que d'énergie gaspillée à remettre au lendemain ! Une
voix dans la profondeur crie : « J'aurais dû faire ça » et vous la
réprimez, vous l'étouffez. Une part de votre énergie réclame :
« Il faut le faire », alors que, si c'était fait, cette énergie ne
serait pas investie dans ce regret. Et une autre part dit : « Tais-
toi, je ne veux pas le savoir. »

Or le chemin demande que vous ayez le plus d'énergie
possible à votre disposition. Il n'y a pas de petite économie
d'énergie : les petits gaspillages d'énergie à longueur de journée finissent par faire, au bout de la semaine, les grands gaspillages. Et vous n'avez pas assez d'énergie « grossière » pour
pouvoir la raffiner en énergie « subtile » qui vous donne une
intelligence aiguisée. Il faut une énergie subtile pour pouvoir
s'arracher à la lourdeur et à la torpeur habituelles et l'énergie
raffinée est produite à partir d'une grande quantité d'énergie
ordinaire. Vous n'obtiendrez cette quantité d'énergie ordinaire
qu'en supprimant le gaspillage. Et en remettant au lendemain

ce qui peut être fait aujourd'hui, vous gaspillez inévitablement de l'énergie

— *Un grain de sagesse*, chap. « Pas d'excuses ».

Une petite part de l'enseignement de Swâmiji — mais une part qu'il n'est pas possible de négliger — consistait à entendre de la bouche d'un *guru* des paroles simples et connues mais auxquelles Swâmiji accordait une grande importance.

Si d'un enseignement on commence à dire : « je prends ce qui m'intéresse et je laisse ce qui me paraît moins important », le mental a tout gagné. Parce que nous ne savons pas ce qui est important et ce qui ne l'est pas, nous traitons avec condescendance certains aspects de l'enseignement qui forme pourtant un tout.

« Ce que vous avez à faire, faites-le maintenant » est une parole de *guru* qui ne relève pas du bon sens ou de la bonne volonté mais de la grande connaissance, la connaissance sacrée. C'est en mettant cette parole en pratique que j'en ai peu à peu, à travers les années, découvert l'importance, que je ne soupçonnais pas au départ. Je pensais que, simplement, oh ! c'était une bonne habitude, comme on dit. C'est beaucoup plus que cela. Des instructions de ce genre ont une valeur réellement « ésotérique », c'est-à-dire conduisent à notre transformation intérieure au sens le plus élevé : du conflit à la réunification, du gaspillage d'énergie à la transformation de l'énergie pour la rendre de plus en plus subtile ; de l'aveuglement du mental, qui nous voile la réalité, au monde tel qu'il est d'instant en instant.

— *Au-delà du moi*, chap. « Vivre consciemment ».

You can !

Vous pouvez !

Swâmiji nous demandait : « Qu'est-ce que vous voulez ? Et pourquoi pas ? » C'était un admirable psychologue qui savait lever les inhibitions, les complexes, les peurs, les culpabilités inutiles. De tout ce qui n'était pas criminel, Swâmiji nous disait : « Oui, vous pouvez. »

J'avais été très frappé dans ma jeunesse par le titre d'un livre qui n'a aucune prétention à la sagesse. C'est l'œuvre d'une vedette du show-business américain, Sammy Davis Jr, celui qui disait : « Je suis un des rares hommes qui puissent se vanter d'être à la fois noir, juif et borgne. » Ayant épousé une femme blanche et fait scandale aux États-Unis, il a écrit un livre intitulé : *Yes, I can.* « Oui, je peux. » Que j'aurais voulu oser dire, à l'époque : « Oui, je peux. » Et je sentais que dans tant de domaines, la vérité était : « *I cannot* », « Je ne peux pas, cela ne se fait pas, jamais je n'oserai » et que je n'étais pas unifié. Ce n'était ni la compréhension, ni l'amour du prochain, ni le détachement, mais la peur de m'affirmer, la timidité, les préjugés, l'incapacité. Et Swâmiji agissait comme un psychologue : «*You can* », « Oui, Arnaud, vous pouvez. »

— *Approches de la méditation*, chap. « L'érosion des obstacles ».

———•◆•———

Be bold.

Soyez audacieux.

« Be bold », disait Swâmiji, soyez audacieux. Ne cherchez pas toujours le confort, les petites solutions et, surtout, essayez de forcer la première barrière de vos conditionnements, même par des décisions qui vous engagent et qui vous coûtent.

— *Un grain de sagesse*, chap. «Voici l'Homme».

Une certaine audace s'avère nécessaire dans l'existence. «*Be bold*» nous répétait Swâmiji. Vous ne pouvez pas mener une vie de petits-bourgeois timorés. Le chercheur de la vérité a été traditionnellement comparé à un héros intrépide qui s'aventure hors des sentiers battus, un chevalier affrontant des monstres et des dragons.

Pour la cause de la Patrie ou de la Résistance, qui est moins élevée que celle de Dieu, certains hommes ont pris des risques énormes. Hommes et femmes, nombreux dans tous les pays d'Europe, ils se sont exposés à tous les dangers au lieu de dormir tranquillement dans leur lit. Est-ce que le chercheur spirituel ne serait pas lui aussi capable de prendre des risques ? En dehors de la mise en pratique quotidienne les vérités de l'enseignement, il y a des moments où le destin spirituel frappe à notre porte et où il faut savoir saisir l'occasion qui se présente.

Si vous êtes assoiffés de guérison, aussi malades que vous soyez spirituellement, vous aurez cette audace. Vous connaissez probablement tous la parole « Dieu vomit les tièdes ». C'est tellement vrai. Il y a une certaine folie aux yeux des hommes qui est sagesse aux yeux de Dieu, non seulement au sens ultime du mot mais dans la manière de conduire cette existence.

Chacun a son destin à accomplir. N'imitez pas, ne copiez pas. Mais ce que vous pouvez entendre, c'est une affirmation catégorique : vous n'arriverez à rien sur le chemin si vous ne voulez pas vous donner du mal. Soyez audacieux. Prenez des risques, cherchez, cherchez encore, cherchez partout, cherchez de toutes les manières, ne laissez échapper aucune occasion, aucune possibilité que le destin vous donne, et ne soyez pas chiches, mesquins en essayant de discuter le prix.

— *L'Audace de vivre*, chap. « L'approche positive ».

———•◆•———

Live what you know and you will know more.

Vivez ce que vous connaissez et vous connaîtrez plus.

*O*n connaît ce que l'on est. Vivez ce que vous connaissez et, par cette mise en pratique, vous connaîtrez encore plus. Votre connaissance, c'est-à-dire votre expérience, ce qui vous appartient vraiment, grandira.

Depuis votre enfance, les parents, la famille, les éducateurs, les gens bien-pensants, tout le monde a déversé sur vous ses propres opinions, au point que vous ne savez plus ce qui vous appartient en propre et qui est l'expression de votre certitude et ce qui est des on-dit, des imitations, que vous n'avez jamais vraiment cherché à vérifier. Nous avons toujours cru que c'était comme cela parce qu'on nous l'a toujours dit. Tout cela relève d'opinions et, pour déraciner ces opinions et les remplacer par des certitudes, il n'y a rien d'autre que le test de la mise en pratique et de l'action.

C'est en agissant selon ce que vous connaissez que vous pouvez connaître encore plus, c'est-à-dire augmenter votre expérience et vos certitudes. Et c'est en agissant que vous voyez si vous vous trompez, ce qui est souvent inévitable. Quand on a le courage de se lancer dans le monde, dans l'inconnu, même si on est guidé, on se trompe. Se tromper fait partie du chemin. Acceptez à l'avance l'idée qu'inévitablement vous allez encore vous tromper. Vous vous tromperez par rapport à vous-même, vous accomplirez des actions qui ne vous donneront pas satisfaction, avec lesquelles vous ne serez pas unifié, soit avant, soit pendant, soit après, et vous le regretterez. C'est l'action qui vous permet de vous tromper vraiment, nettement, clairement. Qui ne tente rien n'a rien. Qui ne risque rien ne peut pas progresser. C'est l'épreuve de la vérité : je le vois, le résultat est là, flagrant, qui me montre que je me suis trompé. *L'action soulève les vraies questions.*

— *Au-delà du moi*, chap. « Vivre consciemment ».

———•◆•———

Joy is in action, not in planification.
La joie est dans l'action, pas dans la planification.

J'entends encore Swâmiji prononcer ce mot « DO ! », « Agissez ! ». « La joie est dans l'action, pas dans la planification. » Parmi mes souvenirs les plus intenses de Swâmiji, il y a cette incitation à l'action, pas dans le domaine spirituel à proprement parler mais dans le domaine de nos existences concrètes : entreprenez, accomplissez, réalisez, réussissez – ce que vous voulez.

C'est dans le monde où nous vivons, qui n'est pas un monde de moines zen ni de moines trappistes, que nous avons à agir consciemment, délibérément, lucidement.

— *La Voie et ses pièges*, chap. « L'action libératrice ».

———•◆•———

Act is always right, even if action is wrong.
L'acte est toujours juste, même si l'action est fausse.

*V*oici comment s'exprimait Swâmiji : « L'acte est juste même si l'action est fausse. » Cela ne peut pas être vraiment compris tout de suite. Un homme à bout de nerfs, à bout de souffrance, emporté par ses émotions, en arrive, dans son désespoir et sa colère, à saisir un revolver dans un tiroir et à tirer sur son épouse. En tant qu'action, l'action est fausse : un père ne tire pas sur la mère de ses enfants. Quand Swâmiji établit une différence entre l'acte et l'action, il ne parle pas d'un être arrivé au bout de son propre chemin, en qui l'acte et l'action sont toujours une seule et même chose, mais d'un être qui se situe encore dans la dualité, le mental et le conflit. Le sage n'accomplira pas une action fausse : l'acte sera juste et l'action sera juste.

Le comportement de celui qui n'est pas encore libéré, donc n'a pas de liberté, est l'expression de chaînes de causes et d'effets inexorables. Tout un ensemble de chaînes d'actions et de réactions innombrables est à l'œuvre dans chaque acte de chaque homme. Innombrables comme les grains de sable de l'océan, ces chaînes de causes et d'effets contribuent à faire qu'à un certain moment, à un certain endroit, une certaine action se produit. En ce sens, cette action est *juste*. Exactement comme lorsque vous faites une opération mathématique, vous finissez par trouver un certain résultat qui est *juste*.

Un être humain agit parce qu'il n'est pas libre d'agir autrement.

Swâmiji exprimait le même enseignement en disant : « Personne n'a jamais agi avec la conviction de faire le mal, chacun a toujours agi en sentant sur le moment que c'était bien. »

— *À la recherche du Soi*, chap. « Karma et dharma ».

**Remember always this : nobody does any wrong at
any time, in any condition, in any circumstance.**

> *Souvenez-vous toujours de ceci : personne ne fait
> jamais le mal, en aucune condition, en aucune
> circonstance.*

Aucun homme n'agit jamais avec la conviction que ce
qu'il fait est mal. Certes, il peut savoir que son acte est contraire à la conception du bien et du mal qui lui a été enseignée
ou contraire à la conception prévalente dans la société où il
vit. Certes, avant de commettre l'acte, il peut avoir des doutes
ou se sentir divisé et, après l'avoir commis, considérer qu'il a
fait une erreur, éprouver un remords, etc. Mais sur le moment
un être ne peut agir et n'agit que si son acte lui apparaît
comme le bien dans la circonstance immédiate et s'il se sent
justifié à le commettre. Dans la confusion, l'incertitude, il ne
peut y avoir action. À l'instant même d'agir, il faut une décision positive : « Il est important pour moi d'agir ainsi », « Je
vais en obtenir un résultat qui a pour moi une valeur. » Personne n'a jamais « fait le mal », personne n'a jamais délibérément « commis un péché ». Quoi que ce soit que l'on fasse, à
l'instant de l'acte, on le fait avec la certitude que c'est juste et
bénéfique. « Je dois le faire » et même : « Je ne peux pas ne
pas le faire. » Sinon, on ne le ferait pas. Parce qu'une série de
causes a amené un homme à cette situation intérieure et extérieure, cet homme est obligé d'agir ainsi. Et s'il agissait **autre-**
ment c'est qu'il serait obligé d'agir autrement. « Il pouvait
choisir », « Il a choisi », dira-t-on. Tel qu'il était situé, en lui-
même et par rapport au contexte, tel qu'il pensait, telle
qu'était son émotion, il ne pouvait pas ne pas choisir ainsi.

L'homme agit selon le bien tel qu'il le conçoit à chaque instant. C'est pourquoi personne ne peut juger ni censurer personne.

Ainsi, en tant qu'acte, ou métaphysiquement parlant, aucun comportement humain ne peut être jugé ou condamné. Par contre, si en tant qu'« acte » un geste est toujours juste, en tant qu'« action » il ne l'est pas toujours. Toute action humaine entraîne des conséquences pour son auteur et pour les autres et ces conséquences peuvent être traumatisantes, contraires au progrès personnel et à la croissance intérieure, créatrices de souffrances inutiles, etc. Prévoir les conséquences véritables de ses actions demande l'objectivité et la vision juste dont l'homme ordinaire est plus ou moins complètement dépourvu.

— *Les Chemins de la sagesse*, chap. « Se délivrer du bien ».

I ought to do but I cannot do is a lie.

C'est un mensonge de dire « je dois, mais je ne peux pas ».

Si vous ne *pouvez* pas, vous ne *devez* pas. C'est tout. C'est cela : être. Ou je le fais, ou je ne le fais pas. Mais si je le fais, je ne le fais pas à moitié ni aux trois quarts. Du point de vue de la voie spirituelle, cette division est une tragédie. Réunifiez-vous, ne soyez pas duel, divisé, conflictuel.

— *Retour à l'essentiel*, « Réunion du quatrième jour ».

Emotionally accept, intellectually think what can be done if anything is to be done. In action, do it.

Émotionnellement, acceptez ; intellectuellement, voyez ce qui peut être fait, si quoi que ce soit doit l'être. En action, faites-le.

Mend or end – or accept.

Améliorez, mettez fin – ou acceptez.

*S*wâmiji reprenait le proverbe anglais : « Améliorez ou mettez fin », auquel il ajoutait : ou acceptez. Si l'on y regarde bien, il n'y a aucune autre alternative possible. Mais le mental est toujours situé à mi-chemin : il ne tente ni d'améliorer ni de mettre fin à la situation par une action concrète et se contente de se plaindre ou de gémir. Ou, s'il s'aperçoit qu'il ne peut ni améliorer ni mettre fin, il préfère continuer à se plaindre plutôt que de se rendre à l'évidence et de supprimer le conflit en acceptant ce qui ne peut être changé.

Cette formule peut être rapprochée de la prière de Marc-Aurèle, qui a été reprise par le mouvement des Alcooliques Anonymes : « Donnez-moi la sérénité d'accepter les choses que je ne peux changer, le courage de changer celles que je peux changer et la sagesse d'en voir la différence*. »

---·◆·---

How to make the best out of the worst ?

Comment tirer le meilleur parti du pire ?

*C*omment puis-je tirer le meilleur d'une situation qui n'apparaît pas immédiatement heureuse ? Dans de telles situations, c'est vite fait de penser que ça ne devrait pas être comme ça ! Mais ce jugement ne change rien aux faits. Si vous prenez appui sur la vérité, vous pouvez atténuer les choses beaucoup plus que vous ne le croyez, mais toujours en communion avec la réalité. Très souvent, la vérité n'est pas heureuse au premier abord – au premier abord, car nous ne savons pas ce qui est fondamentalement heureux ou malheureux. Si vous ne voulez pas prendre appui sur la vérité, vous allez aggraver la situation et perdre votre énergie en pensées inutiles.

—— *Retour à l'essentiel*, « Réunion du quatrième jour ».

—•◆•—

Swâmiji does not act, an action takes place.

Swâmiji n'agit pas, une action s'accomplit.

*L*e sage n'est qu'un instrument et, même s'il est ou paraît très actif, il ne fait rien : tout se fait à travers lui ou par lui. Cette action a été appelée non-action parce qu'elle est impersonnelle. Il est à peu près impossible de se représenter ce qu'est l'action de celui qui n'a plus de but, plus de demandes et plus de refus, l'action qui est juste une réponse.

—— *Tu es Cela*, chap. « De l'enfant au sage ».

Réaction, action et réponse. Avant de vous engager sur le chemin, vous êtes roulés, impuissants, par les vagues. Au long du chemin, vous nagez. Au bout du chemin, vous faites la planche. Avant de vous engager sur le chemin, vous êtes emportés. Au long du chemin vous portez. Au bout du chemin, vous êtes portés. Ce n'est plus vous qui agissez, mais l'énergie divine qui agit à travers vous.

—— *Tu es Cela*, chap. « Réaction, action, spontanéité ».

L'étude de la prison

L'émotion

Emotion and feeling.

L'émotion et le sentiment.

Nous connaissons à travers nos idées et conceptions, notre capacité à rapprocher les causes et les effets. Et nous connaissons aussi à travers notre cœur. La connaissance la plus haute est une fonction du cœur. De quel cœur, justement ? L'une des plus grandes causes de confusion et de malentendu est que ce cœur humain, le lieu même des peurs et des désirs, de l'attachement, de l'ego, ce cœur tel qu'il est ne peut en aucun cas être un instrument de connaissance. C'est pourquoi l'expression « purification du cœur » est si fondamentale. C'est par un cœur purifié que vous pouvez accéder à une connaissance réelle.

Il existe deux fonctionnements différents : l'un qu'on peut appeler la stupidité du cœur et qui est la condition ordinaire de l'être humain, source d'erreur et d'illusion. Et un autre fonctionnement qui est l'intelligence du cœur.

— *La Voie du cœur*, chap. « Plaidoyer pour le cœur ».

Par rapport à l'émotion, vous pouvez considérer le sentiment comme l'ouverture du cœur. L'émotion, à l'inverse, représente toujours une rétraction du cœur, quand ce n'est pas une fermeture complète dans l'émotion négative que vous ressassez.

— *Approches de la méditation*, chap. « La maîtrise des pensées ».

Emotion is an unnecessary luxury.
L'émotion est un luxe inutile.

L'émotion, notre manière subjective d'appréhender la réalité, en référence à *nous*, n'est pas indispensable pour vivre. Elle représente même un énorme gaspillage d'énergie, un « luxe inutile ». Certes, c'est la donnée de départ de tout être humain et Swâmi Prajnânpad, qui avait transcendé les émotions, disait de lui, en se remémorant le passé : «*The young man was only emotion*», le jeune homme n'était qu'émotion. Il avait donc connu, comme chacun d'entre nous, la condition commune : le pouvoir qu'a l'existence de modifier nos états intérieurs – tant que nous n'avons pas entrepris un travail conscient et méthodique pour émerger de ce « statut d'esclave »*.

* *

À son élève Arnaud qui s'était comporté sans conscience dans une certaine situation et avait causé du tort à quelqu'un, Swâmiji avait écrit un jour :

Carried away by your emotional blindness, you have gone down below human level.
Emporté par votre aveuglement émotionnel, vous êtes descendu en dessous du niveau humain.

———◆———

It is the status of a slave.
C'est un statut d'esclave.

« *C*'est un statut d'esclave », disait Swâmiji. Cet esclavage tient à vous et non pas aux événements. Ceux-ci ont pouvoir sur vous, c'est d'accord, mais parce que vous fonctionnez d'une certaine manière. Cela tient à vous, à un fonctionnement émotionnel et même à un fonctionnement physique. Vous ne pouvez même pas éviter les phénomènes physiologiques concomitants de l'émotion et vous ne pouvez pas empêcher vos pensées de se précipiter dans une certaine direction. « Je » n'ai pas de pouvoir sur mes fonctionnements. L'ensemble de ces fonctionnements représente ce que nous appelons le « mental ». Mais ce mental peut être démantelé. C'est ce que nous appelons la Libération.

Donc, « je » suis l'esclave de mes propres fonctionnements et « je » pourrais en être libéré. Qui plus est, si les fonctionnements en question sont très souvent le fruit d'un stimulus extérieur visible tel un événement qui vous comble de joie ou vous blesse profondément, il arrive aussi que vous ne puissiez pas trouver la source de ces modifications intérieures. Pourquoi des angoisses naissent-elles en vous, des appréhensions, des anxiétés, sans véritable raison ? Pourquoi est-ce que, certains matins, vous vous levez heureux, sûr de vous, le monde est beau, tout va vous réussir, et que huit jours après vous êtes dépressif ? *Et vous découvrez que ce manque de pouvoir, cet esclavage à vos fonctionnements est lié à un manque de connaissance de soi.* N'est-il pas étonnant de vivre et de vous connaître si peu ? Les choses se passent en vous à votre insu. Vous êtes un mystère pour vous-même.

— *Pour une mort sans peur*, chap. « Un chemin concret ».

You are nowhere, you are a non-entity.

Vous n'êtes nulle part. Vous êtes une non-entité.

Être emporté par, être identifié signifie que je n'existe plus. « Vous n'êtes nulle part », « Vous êtes une non-entité », disait Swâmiji. Il n'y a que des pensées, des émotions, des sensations qui se succèdent les unes aux autres ; plus une certaine forme physique qui subsiste, le corps, et une définition, le nom. Parce que le corps est là, toujours le même corps, parce que le nom est là, toujours le même nom, il y a cette illusion d'être de façon constante. Il faut par moments avoir pris conscience de soi et vraiment éprouvé « Je suis », au vrai sens du mot, pour comprendre, par comparaison, que ce « Je suis » n'est jamais là.

— *À la recherche du Soi*, chap. « L'acceptation ».

Swâmiji disait : « *There is no I* », « Il n'y a pas de Je », « Vous n'êtes nulle part ». Cela vous paraît évident quand vous êtes emporté, quand vous vous ruez sur le téléphone sans même prendre cinq minutes de réflexion pour appeler quelqu'un, l'engueuler ou le supplier, dans les grandes colères, les grands désespoirs, les grandes passions amoureuses. Mais c'est vrai aussi dans les circonstances ordinaires de l'existence où les événements se produisent mécaniquement sans qu'on les apprécie consciemment. Efforcez-vous d'être toujours là, présent en vous-même, présent à vous-même, pour tout apprécier, même une chose simple comme de manger une tartine de pain beurré au petit déjeuner.

— *Pour une vie réussie*, chap. « Action, expérience, connaissance ».

Emotion is never justified.
L'émotion n'est jamais justifiée.

Cette affirmation de Swâmi Prajnânpad a prêté lieu à bien des malentendus, nombre de personnes l'ayant comprise comme « il ne faut pas avoir d'émotions » et ayant donc tenté, sur cette base fausse, de supprimer les émotions dès que celles-ci apparaissaient, aboutissant ainsi à une terrible impasse.

L'émotion n'est jamais justifiée ne veut pas dire « vous ne devez pas avoir d'émotions ». Cela veut dire : l'émotion ne peut pas avoir de justification objective. On ne peut pas se retrancher derrière une situation, un événement, pour se donner raison d'avoir une émotion. L'émotion ne tient jamais à une cause extérieure, elle tient à nous, à notre manière de voir les choses, à notre conditionnement propre, à notre sensibilité, à notre passé personnel. La preuve en est que dans la même situation une autre personne n'est pas affectée de la même manière ou peut même ne pas se sentir du tout concernée par ce qui nous touche ; ce qui paraît représenter une montagne pour l'un peut paraître insignifiant pour l'autre, ce qui abat l'un peut stimuler l'autre, etc.

En d'autres termes, nous ne pouvons pas rendre la situation extérieure ou les autres responsables de notre émotion. Elle nous appartient complètement. C'est sur cette base, et uniquement sur cette base, qu'un certain travail sur l'émotion devient possible*.

———◆·◆———

Take emotion as emotion.

Prenez (considérez) l'émotion en tant qu'émotion.

*P*renez l'émotion en tant que telle, c'est-à-dire dissociez-la de la situation que vous imaginez responsable de votre émotion. C'est un déplacement de l'attention : ne plus porter son attention sur les pensées liées à la situation mais la reporter sur l'émotion proprement dite. C'est une manière de casser le processus mécanique de l'émotion : un événement vient frapper mon monde intérieur, en fonction de mes prédispositions latentes, il déclenche une émotion, laquelle entraîne toute une série de pensées qui vont dans la même ligne que l'émotion (idées roses si c'est une émotion agréable, idées noires si c'est une émotion pénible). Ces pensées tournent autour de la situation que je rends responsable de ma perturbation intérieure (« si seulement il n'avait pas dit ça ! »). Le premier travail que recommande Swâmiji, c'est de casser cette association fausse entre l'émotion et la situation, de cesser de croire que l'émotion provient de la situation, de considérer l'émotion en elle-même, indépendamment de la situation, de la ressentir, dans l'instant, telle qu'elle est. Il s'agit donc momentanément, tant que je suis sous le coup de l'émotion, de ne rien penser de la situation (ni même de l'émotion d'ailleurs). Je l'accueille telle qu'elle est, comme une énergie qui se manifeste en moi.

Je reconnais l'émotion en tant qu'émotion ; elle ne m'obligera pas à agir. Je ne pactise pas avec les pensées qui sont le fruit de l'émotion. Je reconnais que l'émotion est là, donc mes pensées sont viciées, donc toute action qui matérialiserait ces pensées est viciée. Je ne réagis pas et la chaîne d'actions et de réactions s'arrête*.

— *Tu es Cela*, chap. « Réaction, action, réponse ».

Lorsqu'une émotion surgit, par exemple l'angoisse, et que nous acceptons que cette émotion se produise ici et maintenant, nous ramenons l'émotion à une sensation, c'est-à-dire que nous réussissons à ne plus être identifiés à des pensées telles que « c'est horrible, ce n'est pas juste, ça fait des mois que ça dure, il n'y a aucune raison pour que ça change, je n'y arrive plus… ». Au lieu de cela, nous entrons en communion avec l'aspect sensation de l'émotion, c'est-à-dire que l'aspect pensée est mis de côté. Être un avec l'émotion, c'est être un avec une sensation, parce que l'émotion est un ensemble de pensées et de sensations, les sensations étant des phénomènes biologiques, physiologiques.

— *Retour à l'essentiel*, « Réunion du deuxième jour ».

———•◆•———

Annihilate the distinction between you and your emotion.

Annihilez la distinction entre vous et votre émotion.

*V*ous n'avez aucune connaissance réelle de vos pensées, de vos émotions, de vos sensations – de tous vos fonctionnements – parce que *vous* n'avez jamais *été* réellement, sans dualité à la lumière de la vigilance, vos pensées, vos sensations, vos émotions. Il y a toujours eu un certain décalage ; ce qui fait que vous n'avez jamais connu ce que vous avez vécu.

Vous pouvez être libre de ces émotions en les connaissant. Comment pouvez-vous les connaître ? *En étant, sans dualité, ému.*

— *Au-delà du moi*, chap. « Le yoga de la connaissance ».

Si je veux un jour pouvoir dire comme Shankaracharya « je ne suis pas les émotions, je ne suis pas les sensations », il faut d'abord que je sois pleinement l'émotion et la sensation, pour comprendre l'irréalité de cette émotion, de cette sensation, et à quel point j'en suis libre. Mais si je me débats contre l'émotion et la sensation, je l'affirme, je la fais être encore plus. Il est possible – et la clé de la Libération est là – de rétablir d'abord la non-dualité en soi-même, de supprimer la distinction « moi et mon émotion ». Si je pouvais dire « moi et mon émotion », cela signifierait que *j'ai* une émotion ; et si *j'ai* une émotion et que cette émotion est pénible, eh bien, je n'ai pas besoin de la garder ! Ce que j'ai et qui ne me plaît pas, je m'en débarrasse ! Mais quand l'émotion est là, elle m'emporte, que je le veuille ou non ; elle m'oblige à agir, elle m'arrache à ma conscience stable et immuable, elle m'entraîne dans un sens ou dans un autre, me rend excité, emporté par le bonheur et la joie (joie fragile, éphémère et empoisonnée, joie qui porte en elle-même son contraire), ou agité, énervé, parfois brisé par la souffrance. Mais si je suis ce que je suis, sans dualité – je suis malheureux ? je suis malheureux – je suis conscient : je ne suis plus *emporté par* mais *un avec*. La souffrance seulement, puisque la souffrance est là, une-sans-un-second, mais éclairée par la Conscience neutre et non engagée. Alors la souffrance n'apparaît plus comme souffrance. Elle s'évanouit.

— *À la recherche du Soi*, chap. « L'atma ».

Let the emotion have its full play and vanish.
*Laissez l'émotion avoir son jeu complet et
s'évanouir.*

Si nous n'intervenons pas pour la modifier, infléchir
son cours, l'émotion suit un processus naturel, comme tout
phénomène : elle naît, elle se déploie, elle meurt. Plus nous
lui donnons de l'espace – l'espace de se déployer selon sa propre loi – plus elle devient neutre : un phénomène énergétique
qui se produit en nous et dont nous pouvons être le témoin
attentif et silencieux*.

Par rapport aux émotions, Swâmi Prajnânpad donne ici
quatre recommandations que l'on pourrait résumer ainsi : cesser une fois pour toutes de rendre les circonstances responsables de nos états intérieurs ; quand il y a émotion, porter son
attention sur l'émotion et non plus sur la situation ; ne plus
faire qu'un avec l'émotion ; et laisser l'émotion se déployer
naturellement, sans intervenir, de façon à ce que celui qui éva-
lue, jauge, juge l'émotion ne soit même plus là.

———◆———

DEUX LETTRES DE SWÂMI PRAJNÂNPAD

Quand vous ne refusez pas ou plutôt quand vous
acceptez une émotion, vous supprimez la division et par conséquent l'opposition entre vous et votre émotion ; ou, en
d'autres termes, vous devenez votre émotion, donc il n'y a
plus deux (« vous » et « émotion ») et l'unité apparaît. Ainsi
une émotion peut apparaître dès qu'il y a ce conflit, cette
opposition entre « vous » et « votre émotion ». En acceptant
l'émotion en tant qu'émotion (sans lui mettre d'étiquette

« bonne » ou « mauvaise »), vous devenez l'émotion, vous êtes la peur, vous êtes la joie, vous êtes la tristesse, etc., etc. L'opposition ou la contradiction des opposés (joie-peine, amour-haine, etc.) disparaît d'elle-même et la neutralité souveraine s'établit : Paix, paix, paix.

— Lettre à Arnaud, 30 janvier 1967.

Pour le moment, voici quelques indications succinctes sur : «Vous êtes votre émotion.» La vérité est « Un sans second », toujours et en toutes circonstances. Donc, quand une émotion apparaît, elle est là sans second ; « je », « vous », « il » ne peuvent pas être présents. Si vous dites « je », « je » est là et l'émotion aussi, vous créez une division et le conflit qui en résulte : « cela ne devrait pas être » ! Ce qui est un mensonge. En voici la preuve : quand l'émotion est là, elle vous emporte, montrant par là que vous êtes une non-entité. Alors, acceptez le fait. «Vous ÊTES votre émotion.» C'est ainsi qu'en cessant de refuser l'émotion, vous lui permettez de s'exprimer et de disparaître. Sinon, en maintenant l'existence d'un « je » et de « l'émotion » de manière séparée, vous faites apparaître un refus qui a pour effet de renforcer l'émotion et de permettre au conflit de continuer dans un cercle vicieux. Alors, soyez l'émotion, laissez l'émotion s'exprimer et disparaître.

— Lettre à Arnaud, 29 avril 1967.

L'ego

Ego is the seal of the « I » embossed on the not « I ».
L'ego, c'est le sceau du moi apposé sur le non-moi.

L'ego, c'est le sceau du moi apposé sur le non-moi, comme une espèce de pieuvre qui étend ses tentacules. L'ego ne donne pas le droit à l'autre d'exister indépendamment mais réfère tout à lui : qu'est-ce que vous êtes pour moi, par rapport à moi, dans mon monde, est-ce que vous me plaisez, vous me déplaisez, vous me rassurez, vous me menacez, vous me frustrez, vous me gratifiez, etc.

— *Dialogue à deux voies*, chap. « La pratique de la méditation ».

Chacun perçoit le monde pour soi, en fonction de soi, à travers soi. Ce moi physique et mental n'est pas une petite chose. Il a été remarquablement étudié et décrit par les enseignements anciens, mais toujours dans le but de le connaître pour s'en libérer. Les sciences humaines redécouvrent les conditionnements et les déterminismes mais elles ne découvrent guère le moyen de leur échapper. Ce moyen existe, c'est l'effacement de la conscience de l'ego qui libère la Conscience tout court, la Conscience qui n'est ni homme ni femme, ni vieux ni jeune mais simplement la Conscience. Souvenez-vous de ce point de départ métaphysique et vous comprendrez l'ensemble de la démarche de libération.

— *Le Vedanta et l'inconscient*,
chap. « La purification de l'inconscient ».

You are an amorphous crowd.

Vous êtes une foule amorphe.

*J*e me suis beaucoup appuyé pendant les années de ma recherche sur une formule que je considère toujours comme précieuse aujourd'hui : « Pour se donner, il faut s'appartenir. » Comment est-ce que je peux abandonner l'ego (Dieu sait combien de fois j'ai entendu cette expression) si ce moi est informe, privé de forme ?

Mon propre gourou m'a dit un jour, il y a bien longtemps : «Vous êtes une foule amorphe. » Comme je savais qu'il avait reçu une formation scientifique dans sa jeunesse, j'ai bien compris qu'il donnait au mot amorphe, privé de forme, un sens très précis – amorphe, en chimie, c'est l'opposé de cristallisé.

Une part de nous voudrait échapper à un certain mode de conscience que nous sentons bien comme limitatif, mais d'autres parts de nous continuent à réclamer : « Et moi, et moi, je n'ai pas reçu ça, je n'ai pas pu faire ceci, je demande encore cela. » Il y a donc une première étape de structuration ou même d'affirmation de l'ego avant d'envisager l'effacement de la conscience du moi dans tout ce que ce pronom présente de limitatif. Mais ce travail de structuration doit être entrepris dès le départ avec une compréhension et surtout un sentiment qui permettent l'ouverture et le dépassement. Il est important de pressentir d'emblée ce que pourrait être un état non égoïste ou non égocentrique de manière à ce que cette première affirmation de l'ego, nécessaire au début, ne soit pas le renforcement d'une prison qui ensuite devienne un véritable obstacle.

— *Dialogue à deux voies*, chap. « L'ego au cœur du problème ».

Swâmiji m'a dit un jour : « Vous êtes une foule amorphe », non structurée, non cristallisée. C'est vrai. Que vous utilisiez comme point d'appui de votre compréhension l'image de personnages divers et contradictoires en vous, que vous considériez chaque émotion, chaque peur, chaque désir, chaque état d'âme comme un de ces personnages, que l'image du kaléidoscope soit éloquente pour vous ou non, la vérité, elle, reste la même. Ce dont vous pouvez être absolument certains, c'est que si vous ne prenez pas conscience d'une façon ou d'une autre de la complexité qui est la vôtre, de la multiplicité qui vous compose, il n'y a pas de chemin possible. Beaucoup de ceux qui m'écoutent depuis des années n'ont pas réellement compris ce dont je parle. Ils n'ont pas vu concrètement les contradictions qui les habitent, ils n'ont pas mesuré l'ampleur de leur division intérieure. Se prendre en flagrant délit de contradiction, c'est assumer avec courage un certain déchirement intérieur, c'est perdre l'illusion d'un « je » et d'une volonté stables que nous ne possédons pas. Seul le disciple, personnage d'un autre ordre, est capable de voir en toute lucidité que nous n'êtes pas un mais multiple et d'être le témoin des formes de conscience qui se succèdent en vous.

— *L'Ami spirituel*, chap. « L'Éveil du maître intérieur ».

—•◆•—

Not « I look at the tree » but « the tree is looked at ».
Non pas « je regarde l'arbre » mais « l'arbre est regardé ».

Lors de mon premier séjour auprès de Swâmi Prajnânpad, j'avais fait une remarque à propos d'un banyan qui se trouvait près de l'ashram — le banyan est un arbre dont les branches retombent jusqu'au sol et y font des racines. Cet arbre que je trouvais merveilleux et fascinant devait être d'une banalité totale pour un garçon bengali qui a vu cet arbre depuis sa naissance ; par contre, si l'on avait réussi à planter un sapin du Jura au milieu des rizières du Bengale, le garçon en question aurait été fasciné par cet arbre tout à fait étrange pour lui. J'avais donc dit à Swâmiji : « Je comprends au moins que je ne vois pas le même banyan que voit un villageois qui y est habitué depuis son enfance. » Swâmiji m'avait alors proposé cette formule toute simple : Non pas « je regarde l'arbre », mais « l'arbre est regardé ». Quel est ce *je* qui a disparu dans la formulation en question ? Pour le sentir, il faut se lancer à l'eau et tâtonner : je me mets en face du banian, je me rends compte que « *je* » regarde l'arbre, et puis tout d'un coup l'arbre est regardé et le « *je* » a disparu. Cela change tout.

— *Dialogue à deux voies*, chap. « La pratique de la méditation ».

Le mental

Complexity, thy name is mind.
Complexité, ton nom est « mental ».

———•◆•———

Mind, what a tragedy.
Le mental, quelle tragédie.

Sous l'emprise de l'émotion, les êtres humains déraisonnent, se trompent, aboutissent à une conclusion fausse et, à partir de là, agissent. La tragédie, ce n'est pas le chômage à quarante ans, ce n'est pas la trahison d'un ami sur lequel on croyait pouvoir compter, ce n'est même pas la mort d'un enfant. La véritable tragédie, c'est le mental dans sa folie.

— *Approches de la méditation*, chap. « La maîtrise des pensées ».

———•◆•———

Nobody lives in *the* world,
everybody lives in *his* world.
Personne ne vit dans le monde,
chacun vit dans son monde.

Le mental, c'est le fonctionnement du psychisme par lequel nous vivons dans *notre* monde au lieu de vivre dans *le* monde.

Swâmiji m'avait fait remarquer que l'expression « être libre du monde » n'avait aucun sens et que l'expression juste .

était « être libre de *mon* monde ». Libre des choses, comment voulez-vous l'être ? Le monde est là. C'est la façon de le percevoir qui peut changer radicalement. Il y a le monde et il y a la façon dont vous le ressentez. C'est ce qui fait votre prison et cette interprétation inutile peut disparaître.

— *Le Vedanta et l'inconscient*, chap. « La destruction du mental ».

« Votre monde », c'est vous qui le fabriquez, de seconde en seconde, en faisant de la réalité une affaire personnelle, autrement dit une affaire émotionnelle.

— *Pour une mort sans peur*, chap. « Un chemin concret ».

Le monde ne coïncidera jamais avec votre monde. Peut-être un jour prendrez-vous cette décision fantastique, folle en apparence, irréalisable en apparence, mais en faveur de laquelle témoigne toute la tradition ascétique et mystique de l'humanité : « Dorénavant, je vais tout faire pour que ce soit mon monde qui coïncide avec le monde », car par cette parfaite coïncidence, vous serez établi sur un plan de conscience appelé béatitude, incompréhensible au mental.

— *Le Vedanta et l'inconscient*,
chap. « La purification de l'inconscient ».

Deux efforts sont menés parallèlement. Un est l'effort pour être le plus objectif possible : tenter de son mieux, avec persévérance, de vivre dans le monde, de dépasser sa vision individuelle, par conséquent de dépasser, dans la réalité quotidienne, ses préférences, et toutes les colorations de son mental. C'est un effort d'objectivité pour être dans le monde réel. L'autre est une démarche exactement inverse. Il faut aller jusqu'au bout de son monde et de sa subjectivité. Il ne s'agit plus du tout du monde réel, il s'agit de son monde à soi. Il faut bien distinguer les deux parce que généralement, dans la vie,

on fait un mélange. Ni on n'ose aller jusqu'au bout de sa subjectivité, ni on ne lutte pour devenir objectif. Ni on n'ose aller
jusqu'au bout de son monde, ni on ne s'efforce courageusement et patiemment de vivre dans le monde. Le mot vérité
peut être employé dans deux sens, la vérité objective à laquelle
vous accéderez peut-être un jour et la vérité subjective, c'est-
à-dire ce qui est là au fond de votre cœur. Vous n'accéderez à la
vérité objective extérieure à vous qu'en passant d'abord —
c'est indispensable — par la vérité à l'intérieur de vous. Croire
qu'on peut être dans le mensonge à l'intérieur et dans la vérité
par rapport à l'extérieur est un leurre. Vous serez uniquement
dans le monde des projections de l'inconscient, qui colorent
ou déforment toujours plus ou moins les phénomènes. Vous
resterez coupé de vous-même, incapable de vous comprendre
vous-même, ignorant tout de vos propres profondeurs inconscientes.

— *Le Vedanta et l'inconscient*,
chap. « La purification de l'inconscient ».

———•◆•———

Everything is in the taking-in.
*Tout est dans la manière de prendre — dans le fait
même de prendre.*

Keep it in its own place.
Laissez-le à sa propre place.

*T*out est dans le fait de prendre au-dedans et dans la
manière dont on prend. D'ailleurs, nous avons la même expression en français, quand nous demandons, à propos d'une nouvelle
annoncée à quelqu'un : « Alors, comment l'a-t-il pris ? — Eh bien,
il l'a très mal pris » ou, au contraire : « Il l'a plutôt bien pris. »

Idéalement, le mieux serait de ne pas prendre, de laisser les choses être là, à leur place, de donner à chaque événement, à chaque situation, le droit d'être ce qu'ils sont, d'en être conscient et de répondre à la situation si celle-ci demande une intervention de notre part. Ne pas prendre, laisser chaque réalité, chaque phéno-mène à sa place : ni se projeter sur lui, ni s'en emparer. C'est une façon de pointer vers une relation libre.

— *Dialogue à deux voies*, chap. « L'existence en tant que voie ».

Everything is neutral, you qualify good and bad.
Tout est neutre, c'est vous qui qualifiez
de bon ou de mauvais.

*E*n soi, ou métaphysiquement parlant, tout fait est neutre et ne devient bon ou mauvais qu'en fonction de celui qui l'envisage. C'est le mental qui projette sur les faits ses pro-pres conceptions et les qualifie intrinsèquement de bons ou mauvais, comme si la même chose était toujours bonne ou toujours mauvaise, pour tout le monde, en tout lieu, à tout moment et en toutes circonstances. Le bien et le mal sont, au contraire, des notions aussi dépendantes et relatives que tous les autres phénomènes.

— *Les Chemins de la sagesse*, chap. « Se délivrer du bien ».

It has got a taste of its own.
Cela a un goût bien à soi.

*S*wâmiji avait entendu dire qu'en France il y avait trois cents espèces de fromages différentes, « dont la moitié sentent à deux mètres de distance ». Quand il est venu en France, il nous a dit qu'il voulait goûter à ce type de fromage. Après bien des discussions, nous en avons choisi un parmi les plus odorants. Swâmiji en a pris un tout petit morceau et a dit : « Oui, ça a un goût bien à soi. » C'était un enseignement. Il n'a pas dit que c'était bon ou mauvais. Pourquoi qualifier d'immonde ou de délicieux ? Ce qui est délicieux pour les Bhoutanais — les frelons frits — est écœurant pour nous. Faites manger un tout petit bout de viande à un brahmane et il vomit. C'est gravé en lui : s'il mange de la viande, il est souillé à jamais. Tous les musulmans mangent de la viande et les sages taoïstes aussi. Nous fonctionnons à travers ces conditionnements. Accueillez et vous verrez la différence.

— *Retour à l'essentiel*, « Réunion du quatrième jour ».

———•◆•———

Comparison is falsity.

La comparaison est fausseté.
C'est une erreur de comparer.

*L*a comparaison est toujours fausse. Toute l'existence ordinaire, à travers l'ego et le mental, est fondée sur la comparaison et le dépassement de l'ego et du mental, c'est l'abandon de la comparaison. C'est un thème délicat parce qu'il semble que la comparaison soit juste. Il est évident que nous trouverons tout à fait normal de comparer les prix d'un même article dans deux magasins différents pour choisir le prix le plus bas. Ce qui est grave, c'est la comparaison de ce qui, en vérité, ne peut pas être comparé.

Pour qu'il y ait comparaison, il faut qu'il y ait un point de comparaison. Et si vous comprenez que, en dehors des comparaisons pratiques, concrètes, utilitaires comme le prix des articles dans des magasins différents, toute comparaison est impossible parce qu'il n'y a pas de dénominateur commun, vous serez libérés de ce mécanisme tragique. Il n'y a pas de dénominateur commun parce qu'en vérité chaque phénomène, chaque événement, chaque objet qui vient frapper un ou plusieurs de nos sens *est unique et, par là même, incomparable.* S'il y a deux, deux sont différents. Dans le temps, chaque situation est unique ; et dans l'espace, chaque élément de la réalité est unique. Il est l'expression originale, ici et maintenant, de la grande Réalité, fruit d'innombrables chaînes de causes et d'effets. Il ne peut pas être autrement qu'il n'est ; il ne s'est jamais produit ; il ne se reproduira jamais ; et c'est par cette unicité que vous pourrez trouver dans chaque élément du monde relatif la porte d'accès à l'Absolu.

Si vous pouvez *voir* comme unique quoi que ce soit que vous puissiez percevoir et concevoir, vous êtes dans la vérité. Prenez deux êtres humains. Quelle possibilité de comparer ? Sur quel critère vous fondez-vous ? Vous pouvez, pour des motifs pragmatiques, comparer la taille, la force physique, le quotient intellectuel, le niveau d'études, les capacités particulières pour remplir telle ou telle fonction. De ce point de vue-là, nous sommes bien d'accord que la vie ordinaire implique la comparaison. Mais voyez qu'il y a un autre mécanisme complètement faux qui, lui, compare ce qui en aucun cas ne peut être comparé, compare un destin avec un autre, une situation avec une autre. À partir du moment où je commence à juger, à me comparer moi avec ceux que j'envie ou ceux par rapport auxquels je m'estime enviable — et quand je compare d'autres entre eux, c'est toujours faux. En dehors des circonstances concrètes où la comparaison est justifiée, il y a un mécanisme de comparaison consistant à demander que les choses soient différentes de ce qu'elles sont.

Ce qui fait votre souffrance, quelle qu'elle soit, c'est la comparaison. Vous comparez votre destin aujourd'hui avec celui d'un autre. Vous comparez votre situation financière avec celle d'un autre ; vous comparez votre solitude avec le bonheur d'un autre d'être marié ; si vous êtes marié, vous comparez vos charges conjugales et votre fardeau familial avec le bonheur de la solitude d'un célibataire. Vous comparez ce que vous êtes aujourd'hui avec ce que vous étiez à l'âge de trente ans. C'est uniquement la comparaison qui fait la souffrance. C'est pour cela qu'il faut déceler combien cette comparaison est à l'œuvre.

Si vous voyez vraiment ce qui est, cette perception sans intervention du mental, c'est l'amour, c'est l'accord complet pour que ce qui est, soit. *L'amour véritable ne compare jamais*, il voit simplement, il accepte, il reconnaît. Cet amour-là n'existe que quand le mental a disparu. Si vous cessez de comparer et si vous pouvez vraiment être un avec chaque objet à chaque instant, vous verrez chaque élément, chaque instant dans son unicité et son incomparabilité et, par là même, vous verrez chaque objet comme l'expression directe de l'Absolu. Tout le fonctionnement du mental implique la comparaison. Mais si vous voulez *voir*, il faut renoncer à la comparaison. Comme il y a une certaine comparaison qui, elle, pour les besoins de la vie concrète, est justifiée, vous passez sans vous en rendre compte de la comparaison justifiée à la comparaison non justifiée. Pour qu'il puisse y avoir une comparaison justifiée, vous pouvez prendre ce critère : il faut qu'il y ait une *mesure* possible. Mais le mental, lui, se permet tout le temps des comparaisons injustifiées parce qu'il n'y a aucune unité de mesure.

— *Au-delà du moi*, chap. « Un-sans-un-second ».

Mind is so tricky to cheat you, rather to cheat itself.

Le mental est si retors pour vous rouler, ou plutôt pour se rouler lui-même.

*L*orsque j'ai entendu ces mots de la bouche de Swâmiji, j'ai tout de suite noté avec intérêt qu'il formulait une idée et immédiatement la rectifiait quelque peu. Au premier abord, oui, le mental est si rusé pour nous tromper, pour nous rouler, immensément rusé. Ce n'est pas pour rien que l'Évangile l'appelle le Malin et pas seulement le Menteur. Mais en vérité toutes nos contradictions intérieures, nos illusions, nos conflits intimes, ne concernent que le niveau psychique en nous, celui qu'étudie la psychologie. Ce que les hindous, par exemple, dénomment atman est une réalité profonde, éternellement vierge, qui peut être voilée dans notre mode de conscience habituelle mais que rien ne peut affecter. Donc ce que nous sommes au plus profond de nous ne peut pas être victime du mental. Pour l'instant, vous serez aidés en partant du point de vue qu'il y a en vous une capacité d'intelligence et de lucidité qui aspire à la maturité, à la sagesse et qui, elle, est trop souvent bernée par le mental en question, si habile à nous faire vivre dans un monde de complications et de frustrations*.

———•◆•———

Your thoughts are quotations, your emotions are imitations, your actions are caricatures.

Vos pensées sont des citations, vos émotions sont des imitations, vos actions sont des caricatures.

*E*n fait, je ne suis pas certain que cette parole soit une formulation originale de Swâmiji, bien qu'il l'ait souvent utilisée. Mais les années qui ont passé depuis que je l'ai entendue m'ont confirmé combien, dans sa sévérité apparemment excessive, elle pouvait être vraie. Se libérer peu à peu des conditionnements, des comportements mécaniques et répétitifs, de la force d'inertie des habitudes émotionnelles et mentales implique une démarche à la fois déterminée, habile et persévérante. Ce n'est pas la réflexion intellectuelle qui suffira pour nous convaincre de la véracité de cette formulation mais seulement une vision beaucoup plus fine et lucide de la manière dont nous réagissons. La connaissance de soi proposée par les sages de toutes les traditions va beaucoup plus loin que savoir si nous préférons Bach ou Mozart, la cuisine chinoise ou marocaine. C'est pour commencer une vision objective de la manière dont nos propres fonctions fonctionnent selon des schémas préétablis, ce qui nous permet de dire d'un comportement de quelqu'un : « Ah çà, c'est bien lui* ! »

———◆———

You think that you see and you don't see that you think.

Vous pensez que vous voyez et vous ne voyez pas que vous pensez.

Only thinking !

Rien que de la gamberge !

Swâmiji distinguait nettement *voir* et *penser*. Une pensée intelligente, une pensée justifiée est ce que Swâmiji appelait vision. « Penser » désigne l'aveuglement du mental.

« Penser » revient le plus souvent à isoler un élément de la totalité. D'une situation qui comporte un grand nombre de facteurs, vous extrayez *un* détail qui vous touche particulièrement et vous le « montez en épingle » de façon tout à fait arbitraire en oubliant le contexte. Placé devant l'œil, un doigt peut cacher l'immensité de l'horizon. Voir, c'est au contraire intégrer le détail dans un vaste ensemble. L'émotion refuse de situer la part dans sa relation avec le tout : elle fait venir sur le devant de la scène un élément, s'y cramponne et ne peut plus entendre parler de ce qui le contredit. Si vous en voulez à quelqu'un, vous écartez sans merci les nombreuses raisons que vous avez de lui être reconnaissant et même de l'aimer. Ce mécanisme peut corrompre chaque relation. Il vous devient impossible de rappeler à la pensée négative toutes les raisons que vous auriez d'être positifs. Cette contradiction entre l'émotion et la vérité de la situation s'avère tellement insupportable que vous êtes obligés d'éliminer les autres facteurs dont il aurait justement fallu tenir compte.

Si vous vous intéressez à l'enseignement de Gurdjieff, vous trouverez deux expressions en français : le penser actif et le penser associatif. Le penser actif représente une pensée consciente, dirigée, qui ne part pas dans tous les sens et où chaque pensée a sa valeur, sa nécessité, tandis que le penser associatif nous emmène dans une direction, puis dans une autre, une idée entraînant la suivante par association mécanique.

Le premier point important à comprendre c'est que la pensée ordinaire, celle qui doit disparaître, se trouve toujours liée à un élément d'émotion, même si cette émotion n'est pas nettement perceptible. Au contraire, si nous *voyons*, nous utilisons le penser actif, et cette vision est exempte d'émotion. Par contre, elle s'accompagne et elle s'accompagnera de plus en plus de ce que nous appelons l'intelligence du cœur.

— *Approches de la méditation*, chap. « La maîtrise des pensées ».

« Penser » est un mot péjoratif du point de vue du chemin. La pensée ne peut évoluer que dans le monde des opposés que vous êtes appelés à dépasser. La pensée accepte, refuse, accepte, refuse, selon ses propres critères, ses propres références. Et elle ne sort plus de ces oppositions. Alors que la vision vous permet de dépasser les oppositions pour atteindre la neutralité, au-delà des opposés, au-delà du bon et du mauvais, au-delà du bien et du mal, et vous permet d'atteindre l'Être, ce qui est. Seule la vision pure vous permet de passer d'un monde irréel au monde réel. Voir, sans faire intervenir, même à l'arrière-plan, ce qui n'est pas.

La vision n'a pas de contraire. La vision, elle, est toujours une sans un second. Si je fais intervenir autre chose que ce qui est, je commence à penser. Et la vision, la véritable intelligence, ne consiste pas à penser mais uniquement à voir. Je vois en toute certitude ce qu'il faut voir et ce qui inévitablement découle de ce que je viens de voir. C'est ce que vous pouvez appeler un raisonnement scientifique ou raisonner juste. Et cette vision de seconde en seconde induit l'action. L'action juste, l'action « spontanée » dont parlent les hindous et les bouddhistes est le résultat de voir. Mais pour voir, il faut éliminer complètement ce mécanisme dualiste de la pensée : ça ne devrait pas être, ça pourrait être.

— *Un grain de sagesse*, chap. « Je suis ce que je suis ».

Vos malheurs ne viennent pas de ce que vous avez trop d'émotions mais de ce que vous pensez de travers. Car l'émotion naît de la pensée.

La voie proposée par Swâmi Prajnânpad, c'est la destruction de la « pensée » subjective sous toutes ses formes[1]. Ne plus « penser » mais « voir ».

1. *Manonasha*, en sanscrit, destruction du mental.

Chacun voit à travers ses schémas de pensée. C'est par la pensée que chacun vit dans son monde, c'est par la pensée que nous jugeons, que nous comparons, c'est à cause des pensées que nous sommes dans l'attente, ce sont des pensées qui nous coupent de la réalité et nous maintiennent dans l'esclavage.

«*You are rambling* », disait Swâmiji, « vous divaguez » ou encore « *Only thinking* », « rien que de la gamberge ». Mais la plupart du temps, ces élucubrations qui gouvernent nos vies passent inaperçues.

Un certain type d'effort est indispensable pour ne plus penser mécaniquement au gré des associations d'idées qui s'enchaînent. Souvenez-vous de la formule de Swâmiji : «Vous pensez que vous voyez et vous ne voyez pas que vous pensez. » Qu'est-ce qu'une vision de plus en plus lucide, de plus en plus objective, de plus en plus consciente ? Ce travail sur les pensées, le dégagement d'une intelligence aiguë et subtile, ne peut se faire qu'à partir d'une certaine qualité d'attention.

— *La Voie et ses pièges*, chap. « La pensée précède l'émotion ».

Le Bouddha a dit : « Celui qui est le maître de ses pensées est plus grand que celui qui est le maître du monde. »

Être le maître de ses pensées implique la présence à soi-même, la vigilance, la conscience et, naturellement, la dissociation ou non-identification par rapport à ses pensées. Si vous êtes sans cesse identifiés à vos rêveries, engloutis par elles, qui peut contrôler quoi, qui peut avoir la maîtrise de quoi ?

— *Approches de la méditation*, chap. « La maîtrise des pensées ».

What does mind say, what does truth say ?
Que dit le mental, que dit la vérité ?

———•◆•———

Un disciple français avait écrit à Swâmiji pour que celui-ci accepte certains de ses amis comme disciples. Swâmiji lui avait répondu :

Regarding your friends ! – If they are ready to be free from the illusory and infinite meshes of *thinking* and from the revelry of *emotional* intoxications and are ready to SEE, to know, they can always find Swâmiji.

En ce qui concerne vos amis ! – S'ils sont prêts à se libérer de l'engrenage illusoire et sans fin des pensées *et de l'ivresse des intoxications* émotionnelles *et s'ils sont prêts à VOIR, à connaître, ils peuvent toujours venir trouver Swâmiji[1].*

---

1. Svâmi Prajnanpad, *L'Art de voir, Lettre à ses disciples*, Éditions L'Originel.

Le désir

Not desireless but desirefree.
Pas sans désir mais libre du désir.

*U*ne manière de mieux cerner le déterminisme intérieur auquel vous êtes soumis est d'étudier la constitution même du mental autour du désir et de la peur. Le mental est fait des désirs dont la non-satisfaction est une souffrance et des peurs dont la concrétisation serait une souffrance. S'il y a des désirs et que leur non-satisfaction n'entraîne aucune souffrance ou si l'idée qu'une situation que vous préféreriez éviter pourrait se présenter ne vous fait pas peur, vous êtes sinon sans désirs *(desireless)* du moins libres du désir *(desirefree)*. C'est très simple en vérité. Les désirs qui peuvent très bien ne pas être accomplis sans que cela engendre une souffrance, ou les éventualités désagréables ne relèvent pas du mental, du moment que cela n'a pas autorité sur vous. Voilà le critère. Si le désir vous oblige à agir pour se satisfaire, ce n'est pas vous, c'est le désir qui veut se satisfaire — fût-ce à vos dépens — et qui vous impose sa loi. Et si la peur vous restreint dans votre action, vous n'êtes pas libres non plus.

— *L'Ami spirituel*, chap. « Obéissance et liberté ».

—◆—

If it is a sin, Swâmiji will go to hell.
Si c'est un péché, c'est Swâmiji qui ira en enfer.

*I*l passait très peu de monde à l'ashram de Swâmiji car c'était un ashram retiré. Mais un jour y arriva un jeune *sannya-*

sin, un homme qui avait renoncé à tout, y compris à son identité, et qui allait de temple en temple, de lieu de pèlerinage en lieu de pèlerinage, complètement abandonné, recevant ce qu'on lui donnait, couchant où on lui en donnait la possibilité et pratiquant sa discipline particulière. Swâmiji reçut lui-même ce *brahmachari*[1]. « Il était si consciencieux, si sérieux », disait Swâmiji. Le sannyasin déclara à Swâmiji : « Swâmiji, j'ai un problème, un problème de gourmandise, je pense tout le temps aux *rasgoulas* (il s'agit de pâtisseries très sucrées, nageant dans du sirop) ; récemment, j'ai vécu une chose indigne d'un brahmachari. J'ai vu par terre une pièce de quatre annas et je l'ai ramassée avec l'idée que j'allais acheter des *rasgoulas*. Puis je l'ai jetée au loin en pensant que c'était indigne de moi. Mais ensuite, furieux de l'avoir jetée, je l'ai cherchée pendant une demi-heure sans la trouver, et j'en aurais pleuré de contrariété... » — « Bien », lui dit Swâmiji, « voilà votre pièce de quatre annas ; je vous la donne, allez manger des *rasgoulas*. » — « Oh, Swâmiji, c'est un péché ! » — « Si c'est un péché, c'est Swâmiji qui ira en enfer. »

La prestance et la dignité de Swâmiji avaient de quoi en imposer à un jeune brahmachari et celui-ci décida d'aller en ville. Il revint ensuite à l'ashram. « Alors », lui demanda Swâmiji, « vous avez aimé les *rasgoulas* ? » — « Oui » (un oui qui signifiait tout sauf oui). — « Allez, dites-moi tout. » — « Eh bien, Swâmiji, j'étais très gêné : un brahmachari n'a pas à avoir de l'argent dans sa poche pour aller dans les pâtisseries acheter des *rasgoulas*. J'ai pensé que je déshonorais l'ordre des sannyasins, alors je regardais si on ne me voyait pas trop et j'ai fait assez vite... » — « Bien, dit Swâmiji, voilà ce que vous

1. *Brahmachari* : dans ce contexte, moine qui a fait vœu de célibat.

allez faire. Voilà dix roupies, vous allez acheter des *rasgoulas* pour l'ashram et pour les offrir à Swâmiji. Ce sera le *prasad* de Swâmiji demain » (le *prasad* est la nourriture partagée avec le gourou, qui revêt un caractère sacré en Inde). Swâmiji insista : « Choisissez bien, choisissez-les comme pour vous, c'est comme cela que vous choisirez le mieux. » Le brahmachari entra tête haute dans le magasin ; il dut y passer trois quarts d'heure tant il se sentait justifié, examinant chaque *rasgoula*. Il revint et *offrit* à Swâmiji les *rasgoulas* qu'il avait achetées, bien présentées dans leur boîte. Swâmiji ouvrit celle-ci. Lui qui pourtant mangeait très peu prit par amour une *rasgoula*, la mangea : « Oh ! comme vous avez bien choisi ! Délicieuse ! » Swâmiji regarda la *rasgoula*, la mâcha, se régala. Swâmiji était, comme tous les gourous que j'ai connus, un très bon acteur, et il jouait magnifiquement cette scène. Swâmiji prit une autre *rasgoula* d'une autre couleur et déclara : « Oh ! c'est exquis ! Swâmiji s'est tellement régalé ! C'était si doux, si sucré ! » Là-dessus, il dit au brahmachari : « Allez-y, servez-vous, c'est le *prasad* du gourou, la nourriture consacrée par le gourou. » Le brahmachari plongea les mains dans le paquet. Swâmiji dit : « Non, pas comme ça ! » La présence même de Swâmiji irradiait la conscience, l'unification ; il n'était pas possible d'être distrait ou absent de soi-même en présence de Swâmiji. « Regardez-les, ces *rasgoulas*, vous les avez achetées avec amour pour Swâmiji ; regardez les brunes, les violettes, les blanches ; sentez-les. Touchez ces *rasgoulas*, goûtez, appréciez. »

Pour la première fois, le brahmachari mangea une *rasgoula* sans complexe, sans honte ni conflit. « Une autre, dit Swâmiji, prenez-en une d'une couleur différente. » Le jeune moine en mangea trois ou quatre. Swâmiji dit alors : « Une autre, une autre ! » — « Non, Swâmiji, ça suffit. » — « Bien, alors demain. » Et le lendemain, le moine mangea encore des *ras-goulas*. Le surlendemain, jour où il devait partir, il dit à Swâmiji : « Je sais que je peux accepter maintenant l'idée de ne plus jamais manger de *rasgoulas*. » Swâmiji lui dit : « Tenez, voilà encore les quatre annas que vous avez ramassées et reje-tées. Si un jour vous avez encore envie de *rasgoulas*, vous les mangerez comme *prasad* de Swâmiji. »

— *À la recherche du Soi*, chap. « L'état sans désirs ».

« Si c'est un péché, c'est Swâmiji qui ira en Enfer », puisque c'est Swâmiji qui vous pousse à commettre ce péché. Péché par rapport à quoi ? Par rapport à la façon dont agirait Ramana Maharshi ? Mais vous n'êtes pas Ramana Maharshi. Que vous vous demandiez : « Comment le Christ eût-il agi à ma place ? », cela peut vous aider à réveiller en vous une com-préhension et, dans certains cas, si vous êtes mûr pour cela, à faire face de façon plus juste à une situation. Mais quand vous vous demandez aujourd'hui d'être arrivé au bout du chemin, c'est un mensonge, et le mensonge le plus pernicieux qui existe.

— *Le Vedanta et l'inconscient*, chap. « L'érosion du désir ».

Un désir doit être satisfait consciemment. Si, au moment même où je satisfais un désir, une part de moi n'est pas d'accord, il n'y aura pas satisfaction. Par contre, quand on a vraiment et pleinement l'expérience d'une chose, on est en mesure de se libérer du désir.

— *À la recherche du Soi*, chap. « L'état sans désirs ».

Be faithful to yourself as you are situated here and now.

Soyez fidèle à vous-même tel que vous êtes situé ici et maintenant.

« *S*oyez fidèle à vous-même tel que vous êtes situé (intérieurement et extérieurement) ici et maintenant. » Si vous avez vraiment une âme de disciple, cela vous fera progresser. Ce qui serait piétiner et tourner en rond pour celui qui n'a pas de recherche intérieure, deviendra pour vous une étape qui peut être franchie.

Nous abordons là un sujet grave et difficile. En effet, l'égoïsme, l'avidité, la luxure, la convoitise, s'ils ne sont pas mis en cause, interdisent la Libération, et la Libération est, en effet, le fruit du renoncement, de la mort à soi-même, du détachement, de l'abandon. Mais comment y parvenir ? Nous touchons là un point délicat. Une certaine morale est manifestement une prison, une cause de souffrance. Ceci est bien, cela est mal. Cette morale vous a été imposée du dehors. Elle a pour vous le prestige de la Religion, du Bien, de l'Idéal, mais elle est presque toujours un obstacle à la Libération. Certains sont restés en prison pour avoir été trop vertueux et d'autres ont échappé à la prison de l'ego pour avoir été vrais, fidèles à eux-mêmes et, par conséquent, moins vertueux selon les critères de la morale. Seulement, jeter la morale par-dessus bord est une démarche dangereuse. Conduite par l'ego et l'aveuglement, elle est cause de souffrance pour les autres et pour soi-même et elle crée un « karma »[1] de plus en plus lourd par lequel on s'emprisonne au lieu de se libérer. C'est pourquoi

---

1. *Karma* : loi de cause et d'effet et, en l'occurrence, des actions et de leurs conséquences.

vous devez avoir le courage d'échapper doublement à la facilité
de dormir dans une morale que vous n'avez pas vraiment assi-
milée et la facilité qui consiste à abandonner toute morale et à
vous laisser emporter de-ci de-là, au gré de vos impulsions du
moment.

C'est à vous, au fur et à mesure de votre progression sur le
chemin et sans oublier un but qui, lui, est un but de non-
égoïsme, c'est à vous de voir, en votre âme et conscience, quel
désir vous êtes décidé à accomplir et quel désir vous n'êtes pas
décidé à accomplir. C'est à vous de trouver votre propre
morale, une morale de disciple fondée sur la compréhension
de ce qui vous rapproche ou vous éloigne de votre but. Il faut
une grande rigueur pour échapper dans ce domaine aux roue-
ries incroyables du mental.

— *Le Vedanta et l'inconscient*, chap. « L'érosion du désir ».

———•◆•———

Allow the play of the mind.
Autorisez le jeu du mental.

Swâmiji m'avait proposé un exercice, le *wish fulfilling
gem*, la pierre précieuse qui peut accomplir tous nos désirs,
comme la baguette magique des contes de notre enfance. Si
j'avais la baguette magique… Qu'est-ce qui monte ? Qu'est-
ce que je veux ? Je ne cherche pas si c'est réalisable ou non. Je
me demande en toute honnêteté ce que je veux. C'est magique, j'ai droit à tout, tout. Une demande va monter de la profondeur. Est-ce vraiment cela que je veux ? J'ai la baguette
magique, je peux le réaliser, mais est-ce qu'il n'y a pas encore
mieux, encore plus ? Et vous voyez une demande plus profonde qui apparaît. Swâmiji avait aussi employé l'expression
« permettez complètement le jeu du mental ». Laissez faire,

ouvrez grand les vannes et voyez. Vous verrez que toute pensée, toute rêverie, toute image qui monte correspond toujours
à un désir ou à ce qui n'est que l'autre face du désir : une
crainte. Vous allez faire un peu connaissance avec vous-même,
avec un monde qui n'a pas droit de cité dans votre raison mais
qui est votre vérité. Le mental superficiel n'est pas la vérité.
La vérité d'un être, c'est le cœur ou la profondeur, et la plus
grande partie de cette vérité du cœur ne monte jamais à la surface.

Jamais en vous cette voix ne se taira. À la surface, l'éducation, les chocs que vous avez reçus, vos échecs, ce que vous
appelez votre expérience, vous ont fait renoncer à la plupart
de vos demandes. Mais jamais en profondeur. Laissez monter
ces désirs à la conscience et voyez comment vous vous situez
par rapport à eux. Sont-ils réalisables ? Est-il vraiment nécessaire que je les réalise ? Est-ce vraiment cela que je désire ?

Un grand nombre de désirs concrets s'effaceront s'ils ont
reçu une certaine satisfaction et d'autres désirs s'effaceront
simplement s'ils sont ramenés à la conscience au lieu d'être
réprimés dans l'inconscient.

— *Le Vedanta et l'inconscient*, chap. « L'érosion du désir ».

J'essaie de comprendre ce que ce désir représente dans
l'ensemble de mon destin d'homme ou de femme et dans
l'ensemble de mon existence actuelle. Ne partez pas dans
l'accomplissement du désir comme un taureau qui fonce sur la
cape rouge du matador. Tout désir doit être situé dans un contexte. Le mental isole un détail de l'ensemble et ne voit plus
qu'une chose, par exemple l'objet momentané d'une certaine
fascination, et tous les autres paramètres de votre existence,
de votre réalité totale, passent au second plan ou sont carré-
ment oblitérés. C'est véritablement le doigt qui cache la forêt.

Le mental est hypnotisé par un détail tandis que l'intelligence objective[1] opère le recul nécessaire pour replacer ce désir dans la totalité de votre existence. Il n'y a pas d'accomplissement conscient du désir si vous n'avez pas l'honnêteté de voir tous les aspects de la réalité à l'intérieur de laquelle ce désir et son accomplissement possible peuvent s'insérer – même ceux que, momentanément, nous préférerions oublier.

— *La Voie et ses pièges*, chap. « La jungle des désirs ».

Thought may come but there is no inclination to follow it.

La pensée peut venir mais il n'y a pas d'inclination à la suivre.

*B*eaucoup de pensées manifestent un désir dont l'accomplissement ne vous apporterait certainement pas la paix durable. Reconnaissez-les simplement pour ce qu'elles sont et ne vous laissez pas troubler. Si une pensée se présente, vous n'êtes obligé ni de lui emboîter le pas et de vous laisser emporter, ni de lui obéir si elle vous suggère une action.

La sagesse n'est pas la disparition totale des pensées mais la liberté par rapport à celles-ci. N'importe quelle pensée peut se présenter dans le cerveau. Apprenez à entrer en amitié avec celles-ci même si elles paraissent cyniques, obscènes, autrement dit condamnables. La liberté ne vient pas par la condamnation.

Trop de pratiquants s'exercent en méditation à faire disparaître les pensées par la concentration sur un objet unique mais sont ensuite impuissants par rapport aux pensées qui se succè-

1. *Buddhi*, en sanscrit.

dent dans le cours de la journée. Votre intention doit être non
pas « sans pensée » mais libre par rapport aux pensées*.

*
* *

> *À une dame qui lui demandait : «When did Swâmiji*
> *renounce the world ? » (« Quand Swâmiji a-t-il renoncé*
> *au monde ? »), Swâmiji avait répondu :*

**Swâmiji never renounced the world, the world
renounced Swâmiji.**

> *Swâmiji n'a jamais renoncé au monde, c'est le*
> *monde qui a renoncé à Swâmiji.*

Le poids du passé

The way is not in the general but in the particular.
Le chemin n'est pas dans le général mais dans le particulier.

*L*a connaissance de soi s'acquiert dans le particulier et non pas dans le général. Les gens veulent toujours s'occuper du général : la sexualité, le désir, la peur, pour éviter de prendre en charge leur sexualité, leur désir, leur peur — ici et maintenant. On ne peut déduire de lois générales qu'à partir d'exemples particuliers. On ne connaît que ce que l'on est.

— *Monde moderne et sagesse ancienne*, chap. «Yoga et gourous ».

———•◆•———

The unconscious is.
L'inconscient existe.

One has to make the unconscious conscious.
On doit rendre l'inconscient conscient.

*L*e mental a des racines profondes en nous. Ce n'est pas seulement un phénomène de surface et vous découvrirez, comme l'a redécouvert Freud et comme l'avaient découvert les *rishis* hindous, qu'une bonne part de vous-même est toute-puissante au-dessous du seuil de la conscience : subliminale, subconsciente et même inconsciente. Swâmiji s'exprimait à ce sujet en petites phrases courtes : « L'inconscient existe » et « On doit rendre l'inconscient conscient ». C'est pourquoi ceux qui ont entendu parler de l'enseignement de Swâmiji ont eu l'impression que Swâmiji était un extraordinaire psychanalyste. Pour certains c'était un motif d'admiration, pour d'autres un motif de suspicion. À la vérité, Swâmiji était un brahmane hindou, un *Vedanta shastri*, un expert en sanscrit et, au sens général du mot, un grand yogi ; il se réclamait des Upanishads et du Yoga Vashishta.

Rendre conscient l'inconscient est *la* grande affaire d'une vie.

> — *Le Vedanta et l'inconscient*,
> chap. « La purification de l'inconscient ».

—◆—

Express what has been repressed.
Exprimez ce qui a été réprimé.

Let it come out.
Laissez-le sortir.

Vous pouvez d'abord reconnaître qu'il y a en vous l'expression qui cherche son chemin et la répression qui le lui barre. Vous nourrissez à la fois l'expression et la répression de votre substance, de votre vie, de votre énergie. Voilà votre tragédie. Quarante pour cent de vous-même cherchent à s'exprimer, quarante pour cent de vous-même répriment et, avec les vingt pour cent qui restent, vous « vivez ».

C'est un énorme gaspillage d'énergie mais ces répressions sont là, il faut le savoir et l'accepter. C'est cela qui va rendre la partie si importante, par moments si difficile et, par là même, si intéressante.

Ce qui doit s'exprimer dans le lying *a pour loi de s'exprimer* et se trouve réprimé. Il s'agit de faire le jeu de l'expression en réussissant à affaiblir la répression. Il suffit de s'ouvrir et se livrer. Se livrer, c'est se délivrer. Si vous cherchez à faire s'exprimer de force l'inconscient, c'est le mental qui veut à tout prix garder la direction des opérations. Si la tête s'arrête de fonctionner, ce qui cherche depuis si longtemps à se manifester va se manifester de soi-même. C'est exactement comme un ressort comprimé. Si nous retirons la main du ressort, le ressort se détendra de lui-même. Ce que vous portez en vous, quand vous ne le réprimerez plus, se décompressera ou s'exprimera de soi-même.

Les répressions sont là, vous devez l'accepter complètement au lieu, chaque fois, de vous désespérer. S'il n'y avait pas les répressions, il n'y aurait aucun besoin de lying. Le lying est nécessaire parce que les répressions se sont mises en place depuis si longtemps.

Ce qui est réprimé m'opprime ou m'oppresse. Je l'exprime. « *Let it come out* », « laissez-le sortir ».

— Le Vedanta et l'inconscient,
chap. « La purification de l'inconscient ».

———•◆•———

Samskaras et vasanas.

Les samskaras, c'est le poids du passé.
Les vasanas, c'est le poids du futur.

*L*es *samskaras*, ce sont des impressions ou empreintes qui ont laissé des traces, qui sont vivantes en nous aujourd'hui et qui distinguent les êtres humains les uns des autres, qui font que l'un aime la montagne et l'autre aime la mer. Pourquoi est-ce que l'un trouve qu'il faut toujours mettre de l'ordre partout alors que pour un autre la vie n'est belle que si on vit dans le désordre et la bohème ? L'ensemble des *samskaras*, la façon dont ils s'organisent, composent la figure psychologique, caractérielle, mentale d'un individu par rapport à un autre.

Les *vasanas* sont les désirs, les demandes qui existent en vous, et des désirs parfois très forts. Tant que ces désirs seront enracinés dans l'inconscient parce que leur origine n'aura été ni atteinte ni touchée, le mental subsistera.

Si vous êtes à l'écoute de vous-même, vous comprendrez que ces *vasanas* ou demandes sont une multiplicité, une immensité, un concert, un chœur comme un chef d'orchestre n'en a jamais réuni, des milliers et des milliers de voix qui réclament « je veux exister, je veux m'accomplir, je veux me manifester, je veux m'exprimer, je veux aboutir ». Fantastique orchestre, et chacune de ces demandes veut se concrétiser, veut venir au jour. Ce qui fait la peur de mourir, ce sont ces milliers de demandes qui crient : je ne veux pas mourir sans avoir été accomplie, sans m'être exprimée, sans m'être manifestée. Tout cela s'agite dans l'inconscient et veut passer à la conscience, veut passer à l'existence. Et toute *vasana* qui a pu s'exprimer meurt. Quand le désir a été vraiment accompli, c'est fini. En même temps qu'il y a dans la profondeur ce besoin de s'exprimer, il y a aussi ce besoin de retourner au repos, au calme, au non-manifesté.

— *Le Vedanta et l'inconscient*,
chap. « La purification de l'inconscient ».

To be free is to be free from father and mother, nothing else.

> *Être libre, c'est être libre du père et de la mère, rien d'autre.*

Cette affirmation peut certainement paraître réductrice au premier abord. Mais comprenez que si Père et Mère impliquent le papa et la maman bien concrets de notre enfance à chacun, ces termes désignent aussi notre dépendance par rapport à tout ce qui est l'aspect masculin et l'aspect féminin de l'existence. Quand un maître comme Swâmi Prajnânpad emploie les mots « être libre », cela signifie être en soi-même radicalement libre, absolument libre, donc libre de toute dépendance par rapport à tous les substituts et toutes les transpositions du père et de la mère qui ont régné sur les premières années de notre existence*.

———◆———

Swâmiji is not a psychoanalyst for the patients.

> *Swâmiji n'est pas un psychanalyste pour des patients.*

J'ai abordé Swâmi Prajnânpad en ne voyant d'abord en lui que le *guru* hindou tel que les textes traditionnels et mes précédentes rencontres me l'avaient fait entrevoir. Et j'ai découvert très vite qu'il était aussi ce que nous appellerions un très fin psychologue. Il nous accueillait avec nos blessures émotionnelles et nos complexités psychiques. Mais ce n'était pas l'essence de sa fonction. À cet égard, je reprendrais les expressions du psychiatre Jacques Vigne, « le psychothéra-

peute guérit l'ego, la voie guérit de l'ego », le psychothéra-
peute guérit le mental, la voie guérit du mental*.

————•◆•————

A fully positive approach to life.
Une approche pleinement positive de l'existence.

Swâmiji me disait que si un enfant s'était vraiment
senti voulu et aimé au départ de l'existence, même s'il subis-
sait des chocs, il conserverait au plus profond de lui-même
une approche positive ; mais si cela n'avait pas été le cas et que
des traumatismes très forts l'avaient marqué trop tôt, avant
qu'il ait eu le temps d'éprouver vraiment l'amour, il aurait une
perception douloureuse de l'existence. Celui qui a une approche négative de l'existence considère que la vie elle-même est
absurde, désastreuse. Mais il se peut qu'il découvre la dimension spirituelle et arrive à la conclusion qu'au-delà de cette
existence désolante, règne une autre réalité qui, elle, est lumi-
neuse.

La force de vie qui est purement et absolument positive
réside en nous et elle est toujours intacte. La force de vie elle-
même est intacte chez tous et, même si la marque négative est
très proche de la source, tous, en deçà de votre désespoir ou
de votre absence de foi, vous demeurez indemnes. Personne
n'est détruit à la source, jamais, c'est impossible.

Aussi mutilés que vous puissiez être, vous pouvez être sûrs
que, profondément, vous demeurez inaffectés. Il vous suffit de
retrouver cette conscience que vous connaissiez avant le
moment où la blessure s'est gravée en vous.

Être positif, c'est prendre appui sur ce qui vous apparaît
aujourd'hui comme souffrance, tout en conservant l'espérance

et la foi. C'est oser croire que l'existence a de l'amour pour vous au moment même où elle semble vous trahir. Si vous dites oui à ces aspects douloureux, vous verrez qu'ils portaient en eux la promesse d'une joie plus grande. Si vous parvenez à dire oui de tout votre cœur, un oui positif à ce qui est dans des circonstances difficiles, vous aurez la preuve que la vie n'est pas ingrate.

OUI, oui, c'est le mot positif entre tous, c'est le mot magique. Dites oui à votre vie, vous verrez les miracles qui s'ensuivront. Si vous êtes dans la vérité, vous vous branchez immédiatement sur un courant profond avec lequel vous n'êtes habituellement pas en contact et vous attirez de nouvelles opportunités. Même si la vie ne vous a pas encore donné, convertissez votre attitude, devenez positifs. Mais sachez vous montrer persévérants.

— *L'Audace de vivre*, chap. « L'approche positive ».

———•◆•———

Swâmiji had a past ; Swâmiji has no past.

Swâmiji a eu un passé, Swâmiji n'a plus de passé.

Il y a eu une histoire — individuelle — et cette histoire s'est arrêtée, ce devenir s'est arrêté. Après, il n'y a plus que l'instant. L'impression si forte qu'il n'y a plus de passé et qu'il n'y a plus de futur fait à la fois qu'il n'y a plus que l'instant et, en même temps, que cet instant apparaît comme définitif, comme si le temps s'était arrêté. C'est la réalisation de l'éternel présent.

— *Tu es Cela*, chap. « De l'enfant au sage ».

Une voie de croissance intérieure

De l'infantilisme
à l'état adulte

Only myself, myself and others, others and myself, others only.
Moi seulement, moi et les autres, les autres et moi, les autres seulement.

La voie juste va de « seulement moi » à « moi et les autres », puis « les autres et moi » du véritable adulte et « les autres seulement » du sage. Qu'on le veuille ou non, de toute façon, la vie est changement perpétuel. Ce changement est à la fois une destruction et une croissance, une évolution, de l'enfant à l'adulte et de l'adulte au sage. L'ego s'élargit, s'épanouit et s'efface. C'est la dignité de l'être humain qui lui demande de ne pas demeurer un enfant revendicatif, frustré, exigeant, et de se transformer en adulte dont la nature est de donner et non plus seulement de recevoir.
— *Monde moderne et sagesse ancienne*, chap. « La fin des mères ».

Swâmiji s'appuyait sur la métaphysique mais, en même temps, sans que le lien entre les deux soit perdu, il nous ramenait sans arrêt à la réalité de notre égoïsme et nous faisait comprendre qu'il n'y avait aucune espérance de méditation tant que cet égoïsme n'aurait pas été complètement dépassé. L'importance de ce non-égoïsme peut paraître à certains de la petite morale mais Swâmiji lui donnait une grandeur et une ampleur extraordinaires. C'était la suprême sagesse qui commençait à devenir vraie et à intervenir dans nos existences avec la possibilité que quelque chose change. Alors le point de départ devenait clair, le but devenait clair et la voie devenait claire : de l'égoïsme au non-égoïsme.

Se libérer de l'égoïsme, c'est l'affaire d'une vie.

— *Au-delà du moi*, chap. « Égoïsme et infantilisme ».

———•◆•———

You are a beggar, you are begging for love.
Vous êtes un mendiant, vous mendiez l'amour.

Swâmiji, un jour, me dit tranquillement : «Vous êtes un mendiant, Arnaud, vous mendiez l'amour ! » Pour comprendre la portée de cette phrase, il faut se situer dans le contexte de l'Inde où les mendiants ne se contentent pas de tendre la main, ils vous poursuivent, se prosternent devant vous, vous tirent par le vêtement, marchent vingt minutes à côté de vous sans cesser de réclamer.

La plupart des adultes ne sont pas vraiment des adultes. Ils peuvent être affirmés, éminents dans leur profession. Un chirurgien qui réussit parfaitement ses interventions, respecté, même aimé par le personnel hospitalier, peut être émotionnellement infantile et mendier lui aussi : aimez-moi, aimez-moi, aimez-moi ! Cette demande est plus ou moins reconnue ou niée, mais elle demeure. Reconnaissons-la et soyons bienveillant envers nous-même : ce petit enfant que j'ai été continue à souffrir en moi, à avoir peur en moi, à demander en moi ; d'accord, mais je n'en reste pas là. L'autre existe, moi aussi j'existe. Oui, c'est encore l'ego, la dualité, mais vous allez peu à peu trouver en vous une confiance nouvelle. Vous allez vous rendre compte que Dieu vous aime. Au-delà de l'amour que peuvent vous porter certains êtres, c'est une grande expérience que de se sentir porté, aimé, soutenu, mais pas par un être humain particulier. Vous découvrirez cette réalité : la vie me porte ici et maintenant, l'existence me soutient. Seulement, jusque-là, nous avions toujours cherché au-dehors.

Un jour précis, à l'ashram de Swâmiji, à une époque où je pouvais pourtant donner le change — j'étais sorti de mes difficultés professionnelles et je manifestais une certaine audace —, j'ai senti : je cherche une grande main d'adulte où je puisse mettre ma petite main d'enfant. Quand je l'ai vu, j'ai enfin été mûr pour chercher non plus au-dehors, comme je l'avais fait jusque-là, mais au-dedans. Si vous cherchez, vous allez trouver en vous une force qui va vous libérer de plus en plus de cette dépendance. Alors, vous pourrez librement rencontrer l'autre qui est là, lui aussi, avec ses demandes. Il faut s'exercer.

— *Retour à l'essentiel,* « Réunion du troisième jour ».

Swâmiji citait un proverbe : « Aucune chaîne n'est plus forte que le plus faible de ses anneaux. » *Aucun être humain n'est plus fort que sa plus grande faiblesse.* Et cette plus grande faiblesse signifie votre plus grand infantilisme. Cherchez le maillon le plus faible de la chaîne. C'est celui-là qui peut se rompre. Ne vous laissez pas duper par vos accomplissements intellectuels, familiaux, professionnels, artistiques, quels qu'ils soient. Ne vous illusionnez pas avec vos forces, ayez l'honnêteté de vous mesurer à votre plus grande faiblesse.

— *Tu es Cela,* chap. « De l'enfant au sage ».

Other dependent, self-dependent, independence.
Dépendre de l'autre, dépendre de soi,
indépendance (non-dépendance).

*S*wâmi Prajnânpad utilisait trois expressions : dépendre de l'autre, dépendre de soi-même et enfin, être indépendant, c'est-à-dire au-delà de l'ego, au-delà de « moi et l'autre ». Nous avons longtemps recherché la confirmation rassurante de notre existence dans le regard des autres, parce qu'on s'intéressait à nous. Elle est remplacée par un autre sentiment qui émane du dedans, intrinsèque : je suis. J'existe. Je n'ai pas besoin de qui que ce soit pour être. À partir de là – dépendre de soi-même – vous pouvez vous tourner vers l'autre et l'accueillir.

— *Retour à l'essentiel,* « Réunion du troisième jour ».

Parce que l'homme ne se sent pas complet en lui-même, son être, apparemment exilé de sa Source, éprouve le besoin des objets, donc la dépendance. Toute dépendance témoigne d'un inachèvement de l'être. L'indépendance, c'est de pouvoir être laissé seul, abandonné, et de se sentir de plus en plus en sécurité.

— *Monde moderne et sagesse ancienne,* chap. « Le chemin de l'être ».

———•◆•———

Dissociate adult and child.
Dissociez l'adulte et l'enfant.

*M*ême si vous progressez sur le chemin et qu'en tant qu'adultes vous devenez plus lucides, plus mûrs, plus intelligents, l'enfant en vous, lui, subsiste tel quel. Il n'évolue pas, il ne mûrit pas. Il demeure. Simplement, il jouera un rôle de moins en moins important dans vos existences. Mais, même en ayant beaucoup progressé, il y aura encore des moments où un enfant de deux ans qui, *lui*, n'a pas du tout changé affleurera à la surface. Votre progrès, c'est la manière dont vous allez vous situer par rapport à cet enfant. Pour lui, certaines situations seront toujours insupportables, en ce sens que s'il est marqué par un abandon, tout signe actuel d'abandon touchera toujours une plaie à vif. Le symptôme d'aujourd'hui va être interprété émotionnellement et mentalement par l'enfant. C'est l'appréciation par un cerveau et un cœur puérils d'une situation présente, c'est-à-dire une vision — erronée, certes, mais qui s'impose — de la réalité à laquelle l'enfant donne inévitablement un contenu menaçant, déchirant, intolérable.

Ne tentez pas cette acrobatie qui consisterait à ce que l'enfant en vous accepte ce qu'en aucun cas il n'acceptera, cet enfant dont la définition est de ne pouvoir que refuser. Cherchez en tant qu'adultes à vous dissocier de l'enfant. Considérez qu'il y a en vous deux lieux psychologiques, deux manières de vous situer, l'une qui est l'enfant, avec ses émotions douloureuses, l'autre qui est l'adulte, lequel est détendu, à l'aise, en paix. Ce sont deux mondes complètement différents mais il est possible de passer de l'un à l'autre.

La question n'est donc pas de faire grandir l'enfant mais de dissocier l'adulte de l'enfant. Ou, autre manière d'exprimer la même idée : on ne guérit pas les empreintes passées, *on en émerge*.

> — *La Voie et ses pièges*, chap. « La tyrannie du passé ».

Dissocier l'adulte et l'enfant n'introduit pas de dualité parce que ce qui est réel, aujourd'hui, c'est l'adulte qui voit les choses telles qu'elles sont, alors que l'enfant, lui, appartient au passé. Si vous parvenez à dissocier l'adulte et l'enfant, vous pourrez être vraiment dans le monde réel, ici et maintenant, et pas dans le monde recouvert par les projections de l'enfant. Swâmiji disait aussi : « L'ego, c'est le passé qui recouvre le présent. » L'ego, c'est l'enfant en vous qui vient recouvrir le présent. Vous pouvez voir en vous l'enfant qui est toujours là, pour l'éduquer avec amour. Mais tant que l'enfant sera là, vous ne serez ni un adulte ni un sage.

— *Au-delà du moi*, chap. « Égoïsme et infantilisme ».

—•◆•—

Bank is mother.

La banque, c'est la mère.

Il y a un important symbolisme autour de l'argent et c'est un sujet sur lequel beaucoup d'ouvrages de psychanalyse disent des choses probantes et convaincantes. L'argent représente la sécurité. Swâmiji m'avait dit un jour : « La banque, c'est la mère. » Dès qu'un enfant a besoin de quelque chose, c'est à sa maman qu'il le demande. Plus tard, si j'ai besoin de quelque chose, il faut que je puisse le payer et je dois alors demander à ma banque. Et si mon compte en banque n'est pas assez garni pour que je puisse payer ce qui me semble nécessaire, la banque devient la mauvaise mère. La relation trouble avec l'argent peut provenir de l'empreinte d'un traumatisme dans la relation ancienne avec la mère. Maman pourvoit, comme la Providence, et la banque pourvoit : j'ai besoin d'argent, mon compte me le donne. Si nous n'avons pas eu une relation sécurisante avec notre mère, il se peut que nous soyons plus fragiles, pas seulement par rapport au problème de gagner de l'argent, mais par rapport à la peur d'en manquer.

— *Retour à l'essentiel*, « Réunion du quatrième jour ».

———•◆•———

To have emotions is to be a child. Only a child has emotions, not the adult.

Avoir des émotions, c'est être un enfant. Seul l'enfant a des émotions, pas l'adulte.

100 % adult, that is the sage.

100 % adulte, c'est le sage.

Il vous faut devenir complètement adultes. Mais nous, Occidentaux, nous nous arrêtons en chemin à cet égard. Nous voyons bien que certains comportements d'adultes sont infantiles mais nous n'allons pas jusqu'au bout de cette compréhension. L'homme occidental aujourd'hui, même le psychologue, n'entrevoit qu'un adulte relativement adulte. Ce n'est pas le véritable adulte. Parce qu'un être se montre moins infantilement dépendant, impulsif et impatient, qu'il a moins infantilement besoin de recevoir et d'avoir, nous disons qu'il est devenu adulte. Poursuivez cette évolution, poursuivez cette croissance jusqu'à un degré qui vous paraîtra peut-être étonnant mais qui représente le but, la libération, la sagesse. C'est simplement la suite, la prolongation naturelle, du même processus.

— *Tu es Cela*, chap. « De l'enfant au sage ».

———•◆•———

The sage is an enlightened child.
Le sage est un enfant avec l'illumination en plus.

L'enfant peut être pris comme représentation de la sagesse parce qu'il vit beaucoup dans l'instant présent, manifestant une participation directe et immédiate à l'existence. Le mécanisme du mental qui fausse la spontanéité par la comparaison est moins développé chez l'enfant.

Comme le disait Swâmi Ramdas[1] : « *Be childlike !* » — « soyez pareils à des enfants ». Et il ajoutait, avec un clin d'œil et un sourire en coin : « *but not childish* », « mais pas infantiles. »

—— *Tu es Cela*, chap. « De l'enfant au sage ».

———•◆•———

Bring Swâmiji the wife (or husband)'s certificate.
Apportez à Swâmiji le certificat de la femme (ou du mari).

*S*wâmiji estimait que le changement d'un disciple devait être mis à l'épreuve de la relation et qu'il ne pouvait être considéré comme acquis que s'il avait reçu la confirmation du conjoint.

1. Sage hindou célèbre, mort en 1963.

Le chemin pour « être »

To be is to be free from having.
Être, c'est être libre d'avoir.

Être, c'est être enraciné dans la vie universelle et situé à sa place exacte dans l'univers. C'est dépendre de soi-même et non de l'extérieur ; c'est trouver en soi-même sa plénitude et sa force. C'est échanger librement avec les autres, non dans l'asservissement aux désirs et aux craintes.

Faute de se connaître lui-même et d'avoir réalisé l'Être indestructible au cœur de son être périssable, l'homme soumis à son état de conscience limité, séparé, conditionné, aspire en vain à être de façon absolue. Il éprouve le besoin de rassurer et de confirmer son être en possédant ce qui lui échappe ou en détruisant ce qui s'oppose à lui. L'homme se sent être en ayant, il désire avoir dans la mesure même où il n'est pas. Or la véritable expansion de l'être s'effectue au contraire par la liberté vis-à-vis de l'avoir, elle va de pair avec la décroissance du besoin d'avoir. Le besoin d'avoir est toujours une servitude. L'homme est asservi par ce qu'il veut acquérir ou ce qu'il craint de perdre, contraint d'agir pour gagner ou pour conserver, indéfiniment, sans paix et sans repos.

Être, c'est être libre de l'avoir sous toutes ses formes, complet en soi-même, détaché, disponible pour se tourner vers les autres sans égoïsme.

— *Monde moderne et sagesse ancienne*, chap. « Avoir ou être ».

L'auxiliaire « avoir », c'est l'infantilisme, et l'auxiliaire « être », c'est l'état adulte. Un enfant, parce qu'il est tellement dépendant, a besoin, impérativement besoin, d'avoir. Un adulte a de moins en moins besoin d'avoir et trouve de plus en plus sa joie, sa plénitude, sa sécurité, dans l'être. Le pourcentage de besoin d'avoir ou de liberté par rapport à l'avoir, vous pouvez le comprendre comme un pourcentage d'infantilisme ou d'état adulte en vous. Bien entendu, il est tout à fait normal qu'un enfant soit infantile. Ce qui ne l'est plus, c'est qu'un adulte demeure infantile.

— *Tu es Cela*, chap. « De l'enfant au sage ».

———•◆•———

Everyplace is a place to be.

Tout lieu est un lieu pour être.

*E*ntre 1959 et 1973, j'ai effectué plusieurs longs périples en Asie, associant le tournage de films pour la Télévision Française et les séjours dans des ashrams ou des monastères. Le trajet Paris-Inde et retour s'accomplissait en voiture, le plus souvent avec femme et enfants. Le périple 62-63 avait été une longue succession de pannes sérieuses avec dépose du moteur dans des garages turcs, iraniens, afghans, pakistanais et indiens, où je devais passer de longues journées pour surveiller les travaux. L'expédition 64-65, au cours de laquelle j'ai rencontré Swâmiji pour la première fois, s'est accomplie avec une grosse Land Rover diesel. Mais je restais, si je puis dire, un traumatisé des interminables journées dans les garages orientaux. J'y ai fait allusion devant Swâmiji, et il a simplement laissé tomber ces mots : «Tout endroit est un endroit pour être*. »

LE DHARMA, VOIE ROYALE POUR « ÊTRE »

An individual and a person.
L'individu et la personne.

Swâmiji faisait une distinction entre l'individu et la personne. Un individu ne tient pas compte du dharma. C'est un adulte qui est resté infantile. Et une personne est un être humain qui reconnaît le dharma, que ce soit son dharma de père, son dharma de fils, son dharma de menuisier, son dharma de patron, chacun son propre dharma. Qu'est-ce que je porte en moi ?

Les sapins accomplissent leur dharma, les oiseaux accomplissent leur dharma. L'homme peut aller au-delà du dharma, atteindre le plan de la liberté absolue, au-delà de tous les dharmas. Seulement la rançon, c'est que l'homme peut aussi violer complètement le dharma.

Swâmiji m'a dit un jour une parole immense qui s'est insérée dans mon propre destin personnel, car le chemin de Swâmiji n'était jamais en dehors du ici et maintenant et du cas personnel de chacun, jamais dans le général, toujours dans le particulier. J'avais entamé une procédure de divorce. Swâmiji, un jour, me regarde et laisse tomber ces mots qui m'ont bouleversé – d'autant plus que depuis un an, il était entré avec une patience infinie dans mon jeu, dans toutes les vicissitudes de mes émotions, de mes demandes et de mes réactions : « *An individual divorces, a father does not divorce* », « Un individu divorce, un père ne divorce pas. » Ce n'était pas supportable d'entendre cela, ce jour-là, dans ces conditions-là, et pourtant j'ai entendu et j'ai commencé à sentir ce que contient le mot dharma.

— *Au-delà du moi*, chap. « Vivre consciemment ».

Il existe deux sortes d'êtres humains. Certains vivent selon leurs impulsions, leurs goûts, leurs aversions, leurs peurs, autrement dit sont mus par ce qui leur plaît et leur déplaît, ce qu'ils aiment et n'aiment pas, et ceci dans tous les domaines : en amour, en éducation, en politique, en art et dans toutes leurs relations. En eux l'individu est tout-puissant. Il y a aussi des êtres qui ne vivent pas encore dans la conscience éternelle de l'unité mais qui agissent selon la justice, selon ce qui est juste. Ils deviennent des personnes, chemin vers le Sage.

— *Les Chemins de la sagesse*, chap. « Se détacher ».

Si vous regardez bien, vous verrez que l'existence, à chaque instant, vous demande de jouer un rôle. Et là, nous retrouvons la différence entre ce que Swâmiji appelait « *an individual and a person* ». L'individu ne connaît qu'un seul rôle : c'est « moi ». Et il faut qu'il l'impose partout : s'il est triste, qu'il impose sa tristesse à tout le monde, s'il est gai, qu'il impose sa gaieté à tout le monde — il serait capable de raconter des histoires drôles le jour d'un ensevelissement, simplement parce que « ça lui prend ». Celui qui devient « une personne », c'est celui qui accepte, peu à peu, de jouer tout le temps le rôle que demande la situation. Alors ce rôle le guide, le porte et il se trouve dans une situation comparable à celle du comédien, c'est-à-dire que son ego est tout le temps en coulisse.

Cette possibilité de jouer un rôle, c'est la possibilité de dépasser l'ego. Mais, pendant longtemps, nous avons l'impression que ces rôles, qui correspondent aux différentes facettes du dharma, sont des obligations.

— *Au-delà du moi*, chap. « Jouer son rôle ».

Ce qui apparaît comme un sacrifice à l'individu qui se fait le centre du monde et ramène tout à son ego n'est nullement sacrifice pour la personne dont la dignité est de vivre en relation, dont la dignité est de croître ou progresser dans l'Être.

— *Monde moderne et sagesse ancienne*, chap. « Le chemin de l'être ».

———◆◆———

Man has no duty, man has only right and privilege.
L'homme n'a pas de devoir, l'homme n'a que des droits et des privilèges.

*T*rès souvent, nous voyons le mot sanscrit « *dharma* » traduit en anglais par « *duty* » ou en français par « devoir ». Swâmiji m'avait fait remarquer combien cette traduction était fausse. Le dharma n'est jamais un devoir, c'est un privilège, c'est un droit. Vous avez le privilège d'être tout le temps distribué dans des rôles et, si vous regardez bien, dans des rôles qui sont toujours magnifiques. Ce privilège d'être distribué dans des rôles successifs, c'est la possibilité d'échapper à l'ego. C'est un privilège d'être un père – ce n'est pas un « devoir » d'avoir à s'occuper de ses enfants. C'est un devoir si nous sommes un égoïste et un individu mais, si nous sommes en train de devenir une personne, nous nous rendons compte que c'est un droit, *le droit d'être*.

Le mot « devoir », auquel nous donnons le sens d'une obligation plus ou moins contraignante, nous induit en erreur. Ce n'est pas un devoir pour un professeur d'enseigner, c'est un droit. Ce n'est pas un devoir pour un médecin de soigner, c'est un droit : il a le droit de soigner. Une mère, par conséquent, a le droit de s'occuper de ses enfants. Et c'est bien le sens du mot « *dharma* » qui, étymologiquement, signifie : ce qui soutient, ce qui maintient, ce qui fait que les choses sont ce qu'elles sont. Un professeur qui n'enseigne pas n'est pas un professeur ; il est peut-être agrégé de Lettres mais il n'est plus professeur.

Si vous n'avez plus de dharma, si vous êtes uniquement un individu mené par ses impulsions, ses réactions, ses envies, qu'est-ce que vous êtes ? Vous n'êtes plus rien. Vous n'êtes plus ni père, ni fils, ni ami, ni directeur du Service – vous n'êtes plus rien ! Ce sont tous ces dharmas qui vous maintiennent, qui vous font être. Et, si vous escamotez tous les dharmas, ce qui soutient ou qui maintient n'existe plus, et vous n'êtes plus.

Le dharma, sous ses différents visages, c'est ce qui nous donne le droit d'être – ÊTRE. Sinon, cela ne s'appelle pas être. Cela s'appelle exister, ou se comporter comme une machine ou une marionnette.

— *Au-delà du moi*, chap. « Jouer son rôle ».

———•◆•———

Not at the cost of your life.
Pas au prix de votre vie.

*U*n individu mené par son égocentrisme choisit les solutions qui lui conviennent le mieux sur le moment, fût-ce au détriment d'un autre. Une personne plus adulte fait naturellement passer l'intérêt de l'autre avant le sien. Mais ce non-égoïsme ne justifie pas le maintien de situations destructrices qui ne seront, en fin de compte, heureuses pour personne*.

La dignité de l'homme

Man as man.
L'homme en tant qu'homme.

Swâmiji m'avait un jour cité cette parole du *Mahabharata*[1] : « Et maintenant, je vais te dire le secret des secrets : dans tout cet univers, il n'y a rien de plus grand que l'Homme. »

Swâmiji considérait que « l'Homme », c'était l'homme accompli, l'homme unifié, l'homme libéré des émotions, libéré du mental, libéré de l'égoïsme et non pas l'homme encore tâtonnant, encore prisonnier de ses peurs, de ses désirs, de ses lâchetés, de ses passions et de son isolement parmi les autres, conflictuel, rancunier, douloureux, emporté, incapable de s'aimer et d'aimer les autres, coupé de l'infini. Celui-ci n'est qu'un germe d'homme, une potentialité d'homme. Mais ce germe et cette potentialité sont en tout homme.

— *Un grain de sagesse*, chap. « Voici l'Homme ».

— ◆ —

You, yourself, in your own intrinsic dignity.
Vous, vous-même, dans votre propre dignité intrinsèque.

L'enjeu se situe dans cette confrontation entre d'une part l'être réel en vous, la part la plus intelligente, « vous

---

1. Grande épopée hindoue centrée sur Krishna et contenant la célèbre Bhagavad-Gita.

vous-même dans votre propre dignité intrinsèque » et d'autre part le mental. Swâmiji m'avait également dit : «*You and your mind*, vous et votre mental. » Comme le mental est assez puissant, très souvent le *vous*, l'être réel, est submergé comme un rocher à marée haute.

— *La Voie et ses pièges*, chap. « La pensée précède l'émotion ».

Dharma est presque toujours traduit par devoir mais le mot qui convient est celui de dignité. La dignité, pour un être humain, est le sentiment de sa propre fonction intrinsèque. Avec la dignité, nous s rː̃nɛ̃s au cœur de l'être (par opposition à l'avoir)*.

———◆·———

It is below your dignity.

C'est au-dessous de votre dignité.

C'est au-dessous de ma dignité de me comporter de certaines manières, d'accomplir certaines actions. Ce n'est pas une question de morale, c'est au-dessous de ma dignité.

— *Un grain de sagesse*, chap. «Voici l'Homme ».

À mesure qu'on progresse sur le chemin, qu'on est de plus en plus libre vis-à-vis de ses émotions, de ses refus et de ses désirs, qu'on est de moins en moins égoïste, l'action change. Un sentiment nouveau de dignité personnelle commence à intervenir, par lequel on trouve sa satisfaction dans la valeur même de l'action. Les motivations impulsives et individualistes de l'ego s'effacent peu à peu et une conviction grandit, qu'il est au-dessous de notre dignité d'agir comme un enfant emporté.

— *À la recherche du Soi*, chap. « Mahakarta, mahabhokta ».

———◆•———

To give a high opinion of what man is.
Donner une haute opinion de ce qu'est l'homme.

À l'époque où je travaillais à la Télévision et où j'avais la possibilité de faire des émissions importantes, j'étais très préoccupé par la responsabilité des artistes, des écrivains, des journalistes, des auteurs, des scénaristes, des réalisateurs de films et de tous ceux qui donnent à leurs contemporains des nourritures intellectuelles, spirituelles ou artistiques. Je comprenais bien qu'on ne puisse pas demander à tous les auteurs, créateurs et artistes de sculpter uniquement des Bouddhas ou de filmer exclusivement des sages hindous ou tibétains comme je le faisais. J'avais demandé à Swâmiji : « Comment peut-on apprécier la valeur de la nourriture qu'on offre soi-même ou que proposent les autres au public ? » Swâmiji m'avait donné une très brève réponse : « Donner une haute opinion de ce qu'est l'homme. »

— *Un grain de sagesse*, chap. « Voici l'Homme ».

Fulfillment
L'accomplissement

To know is to be.
Connaître, c'est être.

Vous n'avez aucune connaissance réelle de vos pensées, de vos émotions, de vos sensations – de tous vos fonctionnements – parce que vous n'avez jamais *été* réellement,
sans dualité à la lumière de la vigilance, vos pensées, vos sensations, vos émotions. Il y a toujours eu un certain décalage ; ce
qui fait que vous n'avez jamais connu ce que vous avez vécu.

— *Au-delà du moi*, chap. « Le yoga de la connaissance ».

———•◆•———

Do you want half life or full life ?
Est-ce que vous voulez une moitié de vie
ou la totalité de la vie ?

La manière habituelle d'approcher les joies et les peines, en distinguant très précisément ce qui nous rend heureux
et ce qui nous rend malheureux, ce que nous aimons et ce que
nous n'aimons pas, fait que notre vie n'est pas installée dans la
béatitude mais dans la crainte. On vit sur un fond de crainte
parce qu'on est marqué par cette dualité : il y a ce qui est favo-
rable, il y a ce qui est défavorable. Et cette menace, elle sera
toujours là. Ce qui fait que non seulement on ne goûte pas, on
n'apprécie pas les expériences dites douloureuses, puisqu'on
les refuse de tout son être, mais on n'apprécie pas et on ne
goûte pas non plus les expériences dites heureuses, parce

qu'on n'est pas complètement unifié dans l'expérience. Le fait de refuser l'aspect négatif, cruel de l'existence nous frustre aussi de l'aspect heureux.

Avant de comprendre que les événements tragiques ne sont pas douloureux, il est possible de comprendre que la souffrance *en tant qu'émotion* n'est pas douloureuse, c'est-à-dire approcher et aborder sa propre souffrance d'une façon absolument nouvelle. Et se situer d'une façon entièrement nouvelle vis-à-vis de la souffrance, c'est la disparition de la peur.

Vous ne pouvez découvrir le secret de ce monde et de vous-même que si vous avez tous les éléments qui vous permettent de le découvrir. Comment puis-je découvrir le secret de l'être, le secret de la réalité, le secret de l'univers, le secret de moi-même, si je n'accepte que la moitié des données du problème ?

Swâmiji me disait : « Oh ! Arnaud, vous pouvez vous contenter d'une demi-vie, d'une moitié de vie, et manquer la plénitude de la vie ? »

— *À la recherche du Soi*, chap. « Mahakarta, mahabhokta ».

———•◆•———

I have done what I had to do, I have got what I had to get, I have given what I had to give.

J'ai fait ce que j'avais à faire, j'ai reçu ce que j'avais à recevoir, j'ai donné ce que j'avais à donner.

*I*l n'y a pas un accomplissement spirituel qui puisse être détaché d'un accomplissement dans l'existence. *Votre* *accomplissement spirituel ne sera jamais le couronnement d'une vie ratée.*

— *Au-delà du moi*, chap. « Vivre consciemment ».

Tant qu'un homme éprouve la nécessité d'obtenir, qu'il obtienne. Tant qu'un homme éprouve la nécessité de donner, qu'il donne. Tant qu'un homme éprouve la nécessité de faire, qu'il fasse. Une action qui a été pleinement accomplie, sans que son auteur soit divisé et sans qu'il soit coupé du réel par son mental, laisse un souvenir très vif, s'il est nécessaire de se la rappeler, mais elle ne ramène pas indûment la pensée en arrière, elle ne corrompt pas le présent par le passé. Elle est une étape dans une marche en avant, une progression de l'étroitesse de l'ego à l'élargissement de la personne.

— *Monde moderne et sagesse ancienne*, chap. « Le chemin de l'être ».

Il n'y a pas de culpabilité à avoir quand on satisfait de façon légitime les désirs normaux inhérents à la nature humaine. À partir de là, le dépassement des désirs et des peurs peut être envisagé. Jamais un chemin juste ne peut simplement se ramener à l'injonction : « Mourez, souffrez, renoncez à tout, frustrez-vous de tout. » Qui pourrait entendre ce langage-là ? Il faut que le chemin, vous l'entendiez d'abord comme une promesse. Ensuite, il y a certaines conditions à l'accomplissement de cette promesse. Mais l'ego nié, frustré, blessé, mutilé ne se transformera jamais et ne révélera jamais le Soi[1]. Il restera à se débattre dans ses souffrances, c'est tout.

En même temps, accomplir tous les désirs, tous les caprices, tous les infantilismes de l'ego ne constitue pas non plus le chemin. Du courage, des efforts intenses, des disciplines

1. Le terme *le Soi*, traduisant le sanscrit *atman*, désigne la réalité ultime au-delà de toute conception d'un ego individuel.

rigoureuses, une persévérance inlassable sont et seront indispensables. C'est en cela que le chemin est délicat et qu'il est nécessaire d'être guidé aussi bien par un enseignement que par un guide en chair et en os, de façon à ce que l'ego soit satisfait, mais satisfait d'une manière qui l'amène à s'effacer et non pas à se renforcer. Tout est là. L'ego doit être satisfait. Il y a une façon de le satisfaire qui l'amène à se renforcer de plus en plus et une façon de le satisfaire qui l'amène à s'élargir, à devenir plus vaste et peu à peu à disparaître. *Fulfill*, disait Swâmiji, accomplissez les désirs. La libération vient le jour où l'on peut dire : « J'ai fait ce que j'avais à faire, j'ai reçu ce que j'avais à recevoir, j'ai donné ce que j'avais à donner. »

— *À la recherche du Soi*, chap. « L'état sans désirs ».

Une relation consciente

La relation à l'autre

Another is different.

L'autre est différent.

Être en relation, c'est accepter la différence, le caractère unique de l'autre. Voir pleinement que l'autre n'est pas moi, n'est pas mon alter ego, est le chemin vers la réalisation de l'unité et, d'abord, vers la compréhension et l'amour.

— *Monde moderne et sagesse ancienne*, chap. « Le chemin de l'être ».

———◆———

There is no giving without receiving.

Il n'y a pas de don si l'autre ne reçoit pas.

« Il n'y a pas d'action de donner sans l'action de recevoir. » Si vous donnez mais que l'autre n'a pas reçu, c'est comme si vous n'aviez pas donné. Et si vous ne donnez pas ce que l'autre attend, consciemment ou inconsciemment, ce qui lui est nécessaire, vous ne lui avez pas donné.

— *Pour une vie réussie*, chap. « Le mariage ».

Dans ma jeunesse, j'avais lu une phrase qui m'a fait beaucoup réfléchir : « Je vous aime » et en réplique : « Quel dommage que je ne m'en sente pas mieux pour cela. » Ce qui compte n'est pas ce que vous avez donné, c'est ce qui a été réellement reçu. Certains dons nous gênent, nous agacent. Certains dons nous déroutent. D'autres encore nous frustrent parce que nous attendions autre chose. De la part de celui qui a reçu, il y aura bien une réaction mais pas celle que, nous, nous attendions en notre faveur.

Je vais essayer de donner à l'autre ce qu'il pourra recevoir et non pas ce que moi j'ai envie de lui donner. Parfois, l'ampleur du malentendu saute aux yeux. Certains hommes m'ont fait la liste de tout ce qu'ils avaient donné à leur femme et de tout ce qu'ils avaient fait pour elle ; mais quand j'entendais le point de vue de la femme en question, ce n'était qu'un cri de frustration : « Je n'ai rien reçu ! » J'ai entendu une femme se plaindre un jour : « Dix fois j'ai dit devant mon mari que je n'aimais pas les roses et à chaque fois ce sont des roses qu'il m'offre[1] ! »

Il y a donc un art de sentir ce que l'autre attend de nous.

— *La Voie du cœur*, chap. « Tout est moi ».

———◆———

Love is calculation.

L'amour, c'est du calcul.

L'amour, c'est du calcul ? Impossible ! Voilà bien un langage de mathématicien. Cela paraît cynique de parler ainsi et pourtant la vérité n'est pas ailleurs. La vérité se situe bien au-delà de nos rêves, de notre idéalisme, de celui des autres qui ne correspond pas toujours au nôtre et des conflits d'idéaux qui en résultent. Je calcule : « Si je fais cela, qu'est-ce que l'autre va recevoir ? » Comment vais-je utiliser mon temps, mon énergie et mes moyens financiers pour le meilleur rendement possible de mes manifestations d'amour ? Dire « je t'aime » n'est pas une manifestation suffisante en elle-même.

---

1. A.D. fait référence aux entretiens qu'il avait autrefois en tête-à-tête avec ses élèves.

Comment faire sentir à l'autre qu'il est aimé et qu'il reçoit ? Alors je calcule. À chacun de le faire réalistement, dans le relatif, avec les facteurs qui lui sont propres.

L'amour est calcul, l'amour est habileté. Cette habileté est une forme d'intelligence, une intelligence de la tête, bien sûr, mais surtout l'indispensable intelligence du cœur et même du corps qui peut nous faire sentir : ce dont l'autre a le plus besoin, c'est d'un peu de repos : « Allez, allonge-toi et repose-toi un instant. » — « Mais la vaisselle n'est pas faite. » — « Eh bien, je m'occupe de la vaisselle. » Vous avez donné à l'autre le repos dont il avait précisément besoin. Si vous avez un peu conscience de votre corps, si vous êtes attentifs à vos propres besoins, vous comprendrez les nécessités du corps de l'autre.

Rien n'est parfois plus bouleversant que d'être deviné, compris, sans avoir formulé la moindre demande. Mais la tête n'est pas assez intelligente pour sentir ces choses toutes simples qui peuvent tellement toucher l'autre.

Oui, cette parole de Swâmiji m'a surpris : « Quel langage terre à terre pour parler d'amour ! » Maintenant, je comprends très bien ce qu'il voulait dire après m'être rendu compte qu'il y avait tant d'amour derrière cette terminologie abrupte. Swâmiji m'a montré, manifesté un amour infini, un amour absolu. Je vous livre la clef : l'homme qui m'a enseigné *love is calculation* est celui par qui je me suis senti non seulement le plus, mais le mieux aimé, le plus intelligemment aimé.

— *La Voie du cœur*, chap. « L'amour est habile ».

Love is helping the other to release his tensions.

L'amour consiste à aider l'autre à relâcher ses tensions.

Cette définition au premier abord inattendue est d'autant plus frappante qu'elle est si souvent contredite par la réalité quotidienne. L'autre en face de moi, notamment dans la relation de couple, n'est pas toujours, nous le savons tous, serein, souriant, bien disposé à notre égard. Il est momentanément la proie de son propre malaise. Observez avec quel génie destructeur notre propre réaction à son malaise peut nous amener à dire exactement la parole qu'il ne faudrait surtout pas dire, augmentant ainsi la crispation de l'autre. Mais comment pourrait-on, avec l'habileté de l'amour et l'intelligence du cœur, aider l'autre si nous ne sommes pas d'abord nous-mêmes totalement détendus, pacifiés, réconciliés ?

La compréhension profonde de cette phrase correspond au *tonglen* des Tibétains : inspirer la négativité de l'autre, expirer la bénédiction*.

———•◆•———

Deal with the cause, not with the effect.

Traitez la cause et non pas l'effet.

L'impatience de changer conduit trop souvent à une erreur : vouloir faire disparaître les symptômes sans faire disparaître leur source.

Cette parole nous concerne avant tout nous-mêmes. La cause réelle de nos réactions émotionnelles et de nos comportements plus ou moins compulsifs nous est d'abord inconnue. Donc, autant qu'une psychothérapie, la voie demande de rendre conscientes nos motivations inconscientes les plus contraignantes.

Mais cette parole concerne aussi des relations intelligentes avec les autres pour comprendre la source réelle de leur comportement et pouvoir entrer en communion avec eux. Elle se révèle particulièrement précieuse dans l'éducation des enfants*.

La vraie raison de l'incompréhension générale est que les hommes s'en tiennent à la surface des événements. Vivant à la surface d'eux-mêmes, ils se contentent de la surface de ceux qui les entourent. Les gens s'opposent et se disputent parce qu'ils considèrent les effets au lieu de se préoccuper des causes. Et c'est en comprenant d'abord ses propres mécanismes profonds qu'on peut ensuite percevoir ceux des autres.

Pour tout effet, il y a une cause. C'est toujours la profondeur qui est vraie, non la surface.

Pourquoi tant de difficulté à voir et à entendre la profondeur de l'autre ? Parce que les hommes attendent quelque chose du dehors, des autres. C'est cette attente qui les met dans la dépendance de l'extérieur et les exile de la dépendance de soi-même, chemin de la non-dépendance qui est la seule vraie indépendance. Et qu'est-ce qu'un homme attend ? Il attend que les autres, ou tel autre en particulier soit un autre lui-même, un alter ego, ressentant comme il ressent, faisant ce qu'il espère, aimant ce qu'il aime, lui donnant ce qu'il veut, comme s'il se regardait dans une glace, partout. C'est lui, lui-même, que l'homme cherche désespérément à voir dans la peau de son patron, dans la peau de sa maîtresse, dans la peau de son fils et dans celle de son ennemi. L'homme asservi crie de chacun : « Il est moi. »

— *Les Chemins de la sagesse*, chap. «Voir et entendre ».

———•◆•———

A slave-keeper is a slave himself.
Celui qui maintient l'autre en esclavage est lui-même esclave.

Dans la relation infantile ou névrotique, la peur de perdre l'autre entraîne une compulsion à le manipuler, le contrôler, pour le maintenir sous notre emprise et nous donner ainsi l'impression illusoire qu'il ne pourra pas nous échapper.

Mais le geôlier, pour conserver son prisonnier et pouvoir mieux le surveiller, est nécessairement enchaîné à lui. Il devient ainsi lui aussi prisonnier*.

L'homme et la femme

What does nature say ?

Que dit la nature ?

Combien de fois, à des questions plus ou moins intellectuelles que je lui posais, Swâmiji m'a répondu : «*What does nature say ?* » Pas que disent les Upanishads écrites il y a deux mille cinq cents ans, que dit la nature ? Regardons pour l'instant ce qu'est un homme et ce qu'est une femme. Cela vous aidera à comprendre ce que sont la masculinité et la féminité.

Que dit la nature ? La nature dit que, outre deux yeux, un nez et une bouche, deux mains et deux pieds, l'homme a des organes sexuels apparents et la femme des organes sexuels non apparents. La femme possède l'équivalent des organes sexuels de l'homme. Au lieu d'un pénis et de deux testicules, elle a un vagin et deux ovaires. Mais dans un cas ils sont patents, dans l'autre latents, latent signifiant simplement caché, non visible à l'extérieur. Et que dit encore la nature ? Ce n'est pas la femme qui dépose l'ovule dans le corps de l'homme mais l'homme qui dépose le spermatozoïde dans le corps de la femme. La nature elle-même le dit : l'homme donne et la femme reçoit.

Avant de chercher à savoir en quoi consiste un homme viril ou une femme féminine, ce qui est devenu bien difficile dans une civilisation névrosée, nous pouvons voir que la femme reçoit le spermatozoïde émis par l'homme, donc que la femme accueille, prend au-dedans d'elle-même, et l'homme donne, émet au-dehors de lui-même. S'il existe une féminité et une masculinité, un yin et un yang, l'aspect féminin est un aspect de réception, d'accueil, d'intériorisation, de maturation cachée dans la profondeur, l'aspect masculin un aspect de projection vers l'extérieur. Tout ce qui est accueil, réception, prendre au-dedans et laisser mûrir est féminin. Ce qui est, au contraire, projeter, promouvoir, procréer même – la plupart des verbes qui commencent par *pro* – est masculin.

En nous tous, êtres humains, le principe féminin est un principe de profondeur. Tout ce qui est pour nous associé à la profondeur est de nature féminine. Tout ce qui est associé au passage de la profondeur à la surface est de nature masculine. On peut donc dire que l'effort de méditation est d'essence féminine puisqu'il s'agit de s'intérioriser, de rentrer dans sa profondeur, et on peut dire que l'esprit d'entreprise, le désir de façonner le monde sont d'essence masculine. Mais il est bien certain que c'est de la profondeur que naît l'action chez tout être équilibré. C'est de l'océan qu'émergent les vagues et c'est des zones profondes de nous-même qu'émerge l'action juste.

Les impressions, les sensations qui nous viennent du dehors, pénètrent en nous. Elles nous touchent au niveau féminin de nous-même. C'est vrai pour les hommes comme pour les femmes. Chaque fois qu'une perception nous parvient, si nous sommes tant soit peu équilibrés – parce que nous sommes généralement névrosés par rapport au thème que je traite aujourd'hui –, nous nous trouvons dans une attitude féminine. Un élément venu du dehors pénètre en nous et en nous s'accomplit une maturation, une gestation, qui est, elle aussi, d'essence féminine. Ensuite, nous répondons à la situation ou, trop souvent, nous réagissons mécaniquement ; et cette réponse ou cette réaction, elle, est d'essence masculine. C'est simple dit comme cela mais c'est la clef d'une compréhension réelle de soi-même d'une part et, d'autre part, de la relation juste entre les sexes. Si l'humanité doit être heureuse, il importe que les femmes soient aisément et naturellement des femmes et que les hommes soient aisément et naturellement des hommes.

— *Pour une vie réussie, un amour réussi*,
chap. « L'homme et la femme ».

Les cinq critères d'un amour réussi

*S*wâmiji m'avait un jour énoncé cinq critères grâce auxquels on peut reconnaître la valeur profonde d'un couple. Ces cinq critères sont en fonction d'une durée, d'un chemin à suivre ensemble : *to grow together*, croître, grandir, s'épanouir ensemble, progresser sur la voie de la maturité, de la plénitude.

———•◆•———

Feeling of companionship.

Le sentiment d'être des compagnons.

*L*e premier de ces critères est le sentiment d'être deux compagnons. Avoir un compagnon, c'est ne plus se sentir seul(e). Il y a quelqu'un à mes côtés qui me comprend, avec qui j'aime échanger, avec qui j'aime partager, avec qui j'aime agir, faire les choses ensemble.

Le mari ou la femme doit être aussi notre meilleur ami. L'épouse doit pouvoir jouer pour le mari tous les rôles qu'une femme peut jouer pour un homme ; et le mari doit pouvoir jouer pour sa femme tous les rôles qu'un homme peut jouer pour une femme. L'homme – ou la femme – se sent comblé et n'éprouve plus la nostalgie de trouver ailleurs ce qui ne lui manque plus.

Si ce sentiment d'avoir trouvé un véritable compagnon existe, il s'enrichit avec les années, avec les expériences partagées, avec les souvenirs, contrairement à la passion amoureuse ordinaire condamnée à perdre son intensité comme un feu qui se consume et s'éteint.

———•◆•———

At easeness.
   Être à l'aise.

*L*e deuxième critère est encore plus simple. Aisance : le fait que les choses soient faciles, aisées. On se sent bien. C'est une relation qui ne nous amène pas à gaspiller une grande quantité d'énergie en émotions. Or, trop souvent, dans la fascination amoureuse, il y a émerveillement, il y a des moments intenses, mais il n'y a ni aisance ni facilité ; ou encore une certaine facilité de relation s'établit mais dans la routine, dans la monotonie et il reste au cœur un manque.

———•◆•———

Two natures which are not too different.
   Deux natures qui ne soient pas trop différentes.

*I*l est normal qu'il y ait une différence et une complémentarité entre un homme et une femme. Nous ne trouverons jamais notre alter ego : un autre nous-même qui, à chaque instant, soit uniquement l'incarnation de notre projection du moment. Nous ne trouverons jamais une femme qui sera toujours exactement ce que nous voulons, aura toujours exactement l'humeur ou l'état d'âme que nous souhaitons, l'expression ou le timbre de voix que nous espérons et prononcera les mots que nous attendons – jamais. Et cela, il faut le savoir. C'est une demande infantile, indigne d'un adulte, destructrice de toute tentative de couple, de vouloir que l'autre soit uniquement le support de mes projections et réponde à chaque instant à ce que mécaniquement je demande. C'est une illusion que vous devez réussir à extirper. L'autre est un autre. Et, même si une communion s'établit, l'autre n'aura jamais notre inconscient, notre hérédité. Il y aura toujours une différence.

Mais si les natures sont trop différentes, aucune vie commune n'est possible et cet amour sera battu en brèche par la réalité. Les cas extrêmes vous paraîtront évidents. Si un homme est plutôt solitaire, aime les longues marches dans la campagne, la vie dans la nature, et qu'une femme ne rêve que de mondanités et de réceptions, il est certain que les natures sont trop différentes. Malheureusement, cela n'empêche pas de tomber amoureux.

Deux natures qui ne sont pas différentes, cela n'existe pas. « Deux natures qui ne soient pas trop différentes », sinon l'entente est au-dessus de nos capacités respectives. Il faudrait être bien plus avancé sur le chemin de la liberté intérieure pour pouvoir former un couple paisible avec un partenaire dont la nature est radicalement différente de la nôtre. La fascination amoureuse ignore superbement l'incompatibilité de deux natures. On croit de bonne foi pouvoir s'aimer mais il n'y a pas de possibilité d'une véritable entente. La complémentarité de l'homme et de la femme repose sur la différence mais elle repose aussi sur la possibilité d'association, d'imbrication, de complicité.

———◆◆———

Complete trust and confidence.

Une foi et une confiance totales.

Bien sûr, beaucoup d'hommes et de femmes aujourd'hui sont blessés jusqu'au fond de l'inconscient par des trahisons passées vécues dans l'enfance ou la petite enfance. Ce genre de blessure ne facilite pas la communion, l'approche ouverte, le don mutuel de soi dans l'amour.

Est-ce que cette personne a su m'inspirer une réelle confiance ? Du fond de moi monte ce sentiment : elle peut faire des erreurs, elle peut se tromper, elle peut même accomplir une action qui me créera une difficulté momentanée mais elle ne peut pas me faire du mal. Fondamentalement, ce qui domine, c'est cette certitude.

Le mariage ne peut pas être une voie spirituelle vers la sagesse si cette confiance et cette foi n'existent pas, si vous vivez dans la peur. Vous avez à être plus forts que votre infantilisme et à ne pas détruire vous-mêmes une relation précieuse par une méfiance qui n'est en rien justifiée. Il faut que les partenaires ne soient plus totalement infantiles, aient une certaine compréhension de leurs propres mécanismes et décident de les dépasser, d'être plus adultes.

Seule cette confiance complète élimine le poison de l'amour, la jalousie. Je ne dis pas que c'est un vice ou un péché, c'est une émotion particulièrement infantile dans laquelle le mental invente ce dont il n'a aucune preuve. Rien n'est plus destructeur de l'amour que cette jalousie.

———— • ◆ • ————

Strong impulse to make the other happy.
Une forte impulsion à rendre l'autre heureux.

Ce critère exige une approche adulte du couple. La demande d'être heureux grâce à un autre est naturelle, normale, légitime chez un homme ou une femme qui n'a pas encore atteint le bout du chemin et qui se sent encore incomplet. Mais il y a une manière tout à fait égoïste de vouloir rendre l'autre heureux, dans laquelle l'autre n'est pas vraiment en question. C'est l'autre tel que je le vois à travers mes projections, mes demandes à moi, que je cherche à rendre heureux en lui offrant ce que j'ai envie de lui offrir, en faisant pour lui ce que j'ai envie de faire, et sans tenir compte de ses véritables demandes. On ne peut sentir ce dont l'autre a vraiment besoin que si l'intelligence du cœur est éveillée.

Ce bonheur est aussi une réalité simple, quotidienne, faite d'une accumulation de petits détails, et pas seulement de s'entendre dire « je t'aime ». Un être a besoin de respirer à chaque minute, et il a besoin de respirer l'amour tous les jours. Cette envie de rendre l'autre heureux ne se fabrique pas artificiellement, elle est là ou elle n'est pas là.

« Une forte impulsion à rendre l'autre heureux » est un sentiment permanent : « J'existe pour lui, que puis-je faire pour lui ? » Cette intelligence du cœur s'éveillerait très naturellement si les émotions ne venaient pas corrompre la possibilité d'un véritable sentiment.

Ces critères sont simples. Mais, s'ils sont réunis, tous les autres en découlent, y compris l'entente sexuelle.

— *Pour une vie réussie, un amour réussi*, chap. « Le mariage ».

La mère et le père

Swâmiji disait que le but de l'éducation était de faire d'un enfant un être self established and self possessed, *bien établi en lui-même et en possession de lui-même.*

———•❖•———

There is no good mother, no bad mother ; either she is a mother or she is not a mother.

> *Il n'y a pas de bonne mère, pas de mauvaise mère ; ou bien elle est une mère ou bien elle n'est pas une mère.*

Un jour, j'ai dit à Swâmiji, en parlant de mon épouse Denise : « Denise est une très bonne mère. » Swâmiji m'a foudroyé du regard : « Qu'est-ce que vous venez de dire ? Une non-vérité ! Il n'y a pas de bonne mère ou de mauvaise mère ; ou bien elle est une mère ou bien elle n'est pas une mère. »

— *Au-delà du moi*, chap. « Égoïsme et infantilisme ».

———•❖•———

To be a mother is not to deliver.

> *Être une mère ne consiste pas à mettre bas.*

Être une mère ne s'arrête pas au fait d'avoir accouché. Être une mère, c'est façonner un futur adulte.

— *La Voie du cœur*, chap. « Le cœur en paix ».

Il est un point sur lequel s'accordent la connaissance traditionnelle et la psychanalyse moderne : l'importance fondamentale de la relation avec la mère dans les premiers jours, les premiers mois, les premières années d'une existence humaine. Chaque fois qu'un être humain adulte descend un peu profondément dans son inconscient, le souvenir de la mère d'autrefois ressurgit.

Certes, le père, qui élargit la relation d'abord exclusive du tout-petit avec sa mère, est aussi une figure essentielle de tous les inconscients. Mais, profondément, en ce qui concerne le point de départ et l'assise d'un destin humain, c'est la mère qui joue le rôle le plus important. L'aptitude d'un adulte, homme ou femme, à être heureux vient de sa première expérience du monde, la mère. Si la mère a vraiment été une mère, l'adulte, vingt ou cinquante ans plus tard, sera unifié intérieurement, en harmonie avec la nature des choses, trouvant facilement sa place d'homme ou de femme dans le monde, en paix avec lui-même, en paix avec les autres, en un mot : heureux. Si sa mère n'a pas été vraiment une mère, l'homme ou la femme adulte sera divisé intérieurement, coupé du monde réel, prisonnier de ses craintes et de ses désirs inconscients, incapable de relations harmonieuses et faciles, allant de déception en déception, en un mot : malheureux, même s'il lui arrive d'avoir, extérieurement, « tout pour être heureux ».

Être une mère, cela représente infiniment plus que le monde moderne ne le laisserait deviner. Les sociétés traditionnelles donnent sa juste place à la maternité. La femme y trouve son accomplissement à la mesure même de l'importance de cette fonction : faire un être humain non seulement physiquement mais émotionnellement et psychiquement. Toute femme consciente qu'elle est elle-même un être humain avec ses joies et ses peines, est consciente que celui (ou celle) qu'elle allaite, soigne, caresse, est un être humain comme elle, et elle se trouve prête à tout donner d'elle-même pour que ce bébé soit plus tard un vrai homme ou une vraie femme, libre, épanoui, harmonieux, heureux, capable d'apporter l'harmonie et le bonheur autour de lui ou autour d'elle.

La situation normale et conforme à la loi naturelle est complètement inversée dans le monde moderne. Toute l'organisation matérielle de l'existence, toutes les influences et suggestions qui s'exercent sur les femmes contribuent à rendre presque impossible aux femmes d'être des mères. Tant pis pour les bébés. Tant pis si leur vie est brisée au départ. Tant pis si une génération plus tard, la société est faite de faux adultes, névrosés, soumis à leurs émotions, doutant d'eux-mêmes, jamais satisfaits, jamais en paix.

« Je suis une mère » a fait place à « j'ai des enfants ». J'ai des enfants pour moi, pour mon épanouissement et toutes les raisons qu'une femme peut se donner. En vérité, « je veux un enfant » pour toutes sortes de motifs absolument inconscients. L'enfant devient une compensation, un support de toutes les projections, tout sauf lui-même. Dans la tyrannique perspective de l'avoir, être une mère apparaît comme une servitude impitoyable.

L'émancipation de la femme, si importante aujourd'hui pour tant de femmes, prétend permettre à la femme d'assumer son destin. Elle prétend permettre à la femme d'être enfin elle-même « après tant de siècles d'asservissement et d'aliénation ». En vérité, c'est une des formes subtiles que prend la destruction généralisée caractéristique de la fin du *kali-yuga*[1]. Sous le masque mensonger du droit à être, cette émancipation est un refus de l'être, un triomphe de l'avoir.

Dans la mesure où une mère n'est plus une mère, ses enfants sont condamnés à en souffrir dans leur être même.

Pour pouvoir faire face à toutes les exigences de sa mission, une mère doit trouver des conditions favorables. Elle les trouve dans les sociétés traditionnelles. Elle ne les trouve plus dans le monde moderne.

— *Monde moderne et sagesse ancienne*, chap. « La fin des mères ».

La loi naturelle veut que la femme porte en elle le futur bébé pendant neuf mois et qu'elle exerce ensuite un rôle décisif dans le développement du futur adulte, homme ou femme. Rendre difficile aux mères l'accomplissement de leur rôle équivaut à détruire une société, en ne donnant pas aux enfants les conditions indispensables à leur épanouissement. Notre société est actuellement menacée par des risques divers, par tous les dangers dénoncés par les écologistes. Mais elle est aussi menacée de désintégration par l'intérieur, d'implosion pour reprendre le titre du remarquable ouvrage de Pierre Thuillier. Elle court le risque d'être minée par le découragement, le pessimisme, le manque de sens à l'existence, l'absence de perspective pour le futur, la déstructuration psychologique.

Or, une idée domine les conceptions psychologiques modernes, celle selon laquelle la partie se joue durant les premiers mois et les premières années de la vie. Et, en même

---

1. *Kali yuga* : âge sombre que traverse actuellement l'humanité, décrit par la tradition hindoue (notamment dans les *Puranas*) comme la destruction du *dharma*, l'ordre juste, sous toutes ses formes ; y sévissent, entre autres, l'individualisme à outrance, des exactions de toutes sortes, des conflits et des guerres.

temps, cette société met officiellement en cause la famille con-
sidérée comme une structure opprimante. C'est d'un illo-
gisme complet. Parler de la dignité et de la noblesse du rôle de
mère, c'est aujourd'hui apparaître comme un ennemi du sexe
féminin, un machiste, un phallocrate. Il y a là une totale incohérence. Pendant ce temps, la société se détruit sous nos yeux
car le manque de structuration et de paix intérieure s'explique
directement par la destruction de la famille et les carences
affectives de la petite enfance.

— *Regards sages sur un monde fou*, chap. « Famille et éducation ».

———•◆•———

Not « he is my son » but « I am his father ».
Non pas « c'est mon fils » mais « je suis son père ».

Cette parole de Swâmiji implique un retournement de
situation : au lieu de vivre la situation avec l'enfant dont nous
avons la charge selon la perspective : « c'est mon fils ou c'est
ma fille », nous la vivons dans la perspective : « je suis son
père, je suis sa mère ; il n'est pas pour moi ; je suis pour lui ».

Être un père, être une mère, c'est le *dharma*. Vous ne pouvez pas apprendre à un enfant à être heureux – ou plus exactement faire de lui un être heureux et peu à peu, à travers les
années, un adulte heureux – si ce mode de relation « c'est
mon fils » n'a pas été complètement remplacé par « je suis son
père ». Il faudra une grande vigilance pour que cette habitude
ne reprenne pas le dessus. Tous les autres aspects de l'éducation doivent être soumis à celui-là. Et c'est complètement
oublié. On décide de donner à l'enfant une certaine éducation
qu'on considère comme juste, on essaye d'apprendre à
l'enfant à ne pas peser trop lourd sur ses parents et à faciliter à
peu près leur vie, en se comportant comme on considère qu'il

doit se comporter. Ou bien, si on a un peu plus d'ambition, on veut pour lui une réussite telle que nous la concevons. Je ne parle même pas des éducations par des parents manifestement névrosés, je dis que les parents que nous considérons aujourd'hui comme les plus normaux ont une certaine idée, enracinée dans leur inconscient et dans leurs conditionnements socioculturels : voilà comment devrait être mon fils ou ma fille.

Vous, parents, vous aurez toujours à vous souvenir : « mon fils, ma fille, est un autre que moi ». Mais vos fils et vos filles, quel que soit leur âge, doivent sentir : « Papa n'est pas un autre que moi, Maman n'est pas une autre que moi. » Soyez certain qu'il n'y a d'éducation juste que sur cette base : être un avec l'enfant. Je suis pour lui.

— *Un grain de sagesse*, chap. « De l'éducation ».

———•◆•———

You kill the child !
Vous tuez l'enfant !

*P*arfois, la formation de la prison du mental – mensonge, écran permanent entre nous et le reste du monde, source de toutes les souffrances – se fait peu à peu, grâce à la bienveillante attention des parents et des éducateurs. Je n'en donnerai qu'un exemple, mais il est significatif. En courant sans faire attention, un enfant se cogne contre la table (qui n'y peut mais) et se fait mal La maman – ou celui qui est là – dit à l'enfant : «Vilaine table, méchante table, on va taper la table qui t'a fait mal. »

Assassin. Oui, assassin et malheur à ceux qui tuent non les corps mais les âmes. La table est là, immobile, neutre. L'enfant est venu frapper la table. Ce sont les faits. L'enfant pouvait voir et sentir une vérité à sa mesure. On l'empoisonne, on le tue, en l'engageant dans un monde irréel, illusoire, qui vient encore recouvrir le monde déjà irréel et illusoire des phénomènes sensibles.

Brusquement ou peu à peu, l'enfant quitte le monde de ce qui est pour vivre dans son monde à lui, le monde de ce qui devrait être et de ce qui ne devrait pas être. Ainsi l'enfant refuse ou apprend à refuser le monde extérieur. Il n'est plus unifié mais divisé entre le monde et son monde, prisonnier de la dualité.

— *Les Chemins de la sagesse*, chap. « Vivre au présent ».

———•◆•———

Be strong but not hard, firm but not severe.
Soyez fort mais pas dur, ferme mais pas sévère.

J'ai pu constater depuis des années combien les parents pouvaient manquer de fermeté : les enfants imposent leur loi aux parents qui se laissent diriger et ne cessent pas de capituler, sans en être vraiment conscients.

Swâmiji disait : l'existence dira tantôt oui, tantôt non. C'est comme cela et c'est aux parents à l'enseigner aux enfants. Ce n'est pas les aimer que de ne jamais les contrarier. Swâmiji nous citait aussi une parole choquante de la tradition hindoue : jusqu'à quatre ans, l'enfant est un roi, jusqu'à dix-huit ans un esclave et ensuite un ami. L'enfant petit a besoin d'être comblé, puis d'être éduqué. Il faut lui enseigner à prendre sa place dans un groupe, une famille, une société et à dépasser son individualisme pour entrer en relation. Vous savez la distinction que Swâmiji faisait entre un individu et une personne. Un individu, c'est *moi*, cela j'aime, cela je n'aime pas. Une personne passe de *moi* à *moi et l'autre*, à la relation – la relation dans la famille, puis la famille élargie. La fermeté est nécessaire pour apprendre à l'enfant à s'insérer dans ce dharma : « il n'y a pas que moi ». Bien entendu, dans l'exercice de cette fermeté, essayez le plus possible d'être intérieurement bien situés : calmes, unifiés et respectueux de l'enfant.

Il est important que les enfants grandissent dans l'idée du dharma : on tient compte des autres, on ne fait pas que ce que l'on veut, on n'obtient pas toujours tout ce qu'on veut. Sinon, cela fait des adultes qui ont un handicap très lourd à surmonter, des adultes incapables de se demander le moindre effort, incapables de prendre la moindre distance par rapport aux diktats de leurs émotions et de leur ego, condamnés à souffrir et à accuser le monde de ne pas tourner autour d'eux.

Or, c'est un constat que je n'ai pas cessé de faire : dans le monde actuel, cette éducation, ce passage de l'individu à la personne, n'existe plus. Peut-être y a-t-il cette idée qu'il ne faut pas traumatiser ou opprimer les enfants, qu'il ne faut pas d'une éducation répressive. Mais c'est une erreur. Quand le dharma s'effondre, vous n'êtes pas libérés, vous êtes perdus et tyrannisés par votre ego. Certes, une éducation trop étouffante, surtout idéologiquement, n'est pas juste. Épargnez à vos enfants votre monde de jugements et d'indignations : n'imposez pas votre monde à vos enfants, n'essayez pas d'en faire votre réplique. Je cite parfois Françoise Dolto en exemple. Cette femme, raffinée entre toutes, a aidé son fils à devenir le chanteur comique Carlos. Elle n'a pas décidé qu'il deviendrait médecin mais l'a aidé à se développer dans sa propre ligne.

La fermeté ne relève pas de la répression : elle entre dans l'ordre de la réalité de ce qui est.

Un abîme sépare l'éducation que les enfants recevaient autrefois et celle qu'ils reçoivent aujourd'hui. On assiste à une dégradation progressive vers de plus en plus d'égocentrisme et de moins en moins de compréhension du dharma. C'est « Plus de contrainte, je fais ce que je veux. Moi d'abord. » Certainement, nous sommes insérés dans le monde, il nous environne et nous influence mais nous sommes aussi engagés dans une voie consciente pour essayer de sauvegarder ce qui peut l'être. Et, à certains égards, nous allons à contre-courant du mouvement actuel de dégradation.

L'éducation, ce n'est pas juste permettre ou ne pas permettre. C'est une vision d'ensemble. Il s'agit de guider un enfant, de l'aider à se structurer. Est-ce que je peux, moi qui suis engagé sur cette voie, redresser la situation en ce qui concerne mes enfants ? Que puis-je tenter ? Jusqu'où puis-je aller ? Dans le monde actuel, il faut parfois lâcher du lest, être réaliste. Mais ce n'est pas aux enfants de vous imposer leur loi.

— *Lettre d'Hauteville*[1], Hors-Série *Sur l'éducation.*

—•◆•—

Farewell, my son, farewell.

Adieu mon fils, adieu.

*J*e me souviens d'une lettre que Swâmiji avait écrite à un mari et une femme qui venaient de perdre un bébé. C'était à la fois une lettre choquante et admirable. Il n'employait nulle part le mot « mort » ou « mourir » mais toujours « partir ». Il écrivait en substance — je cite de mémoire : Si cet enfant vous a quittés, et cet enfant vous était si cher, vous ne pouvez pas imaginer faire quoi que ce soit de cruel ou douloureux pour

---

1. *La Lettre d'Hauteville* est le bulletin d'information des adhérents de l'Association Hauteville, à usage interne ; A.D. s'adressait, lors d'une réunion commune, à des parents en séjour.

lui. Eh bien, si vous déplorez son départ, vous exercez sur lui une attraction opposée au mouvement naturel de son destin qui est de passer à une autre forme d'existence. Son karma s'achève là. La nécessité de cette incarnation était de venir sur terre quelques semaines seulement avant de continuer sous une autre forme ou une autre incarnation. En gémissant intérieurement, en souffrant, en étant déchirés par le refus de ce qui est et par l'émotion douloureuse, vous attirez cet enfant, vous l'appelez, votre cœur crie : « Mais pourquoi nous quittes-tu, pourquoi t'en vas-tu au loin ? Demeure avec nous. Ce n'est pas possible, ça ne peut pas être vrai, fais que ce ne soit pas vrai. »

Je pense avec infiniment d'amour au cri du cœur de la mère qui, devant un cadavre glacé, hurle : « Dites-moi que ce n'est pas vrai, docteur, il va vivre ! » alors qu'elle sait bien qu'il ne va pas vivre mais que c'est trop dur à accepter. Et c'est parce que nous sommes si habitués à tourner le dos à la vérité et à refuser que ce qui est soit, que nous avons, en face de la mort de ceux qui nous entourent, une attitude qui est purement et simplement mensongère et donc scandaleuse pour celui qui se veut « chercheur de vérité ». Pouvez-vous, disait à peu près Swâmiji dans cette lettre, mettre cet enfant en difficulté, pouvez-vous l'écarteler entre le mouvement de son destin qui est de s'éloigner et le cri de votre cœur qui est de refuser ce mouvement, de le rappeler et de le tirer en arrière ? Non, certainement pas, vous l'aimez trop pour cela. *So you may gladly* — et le mot *gladly* signifie volontiers, pour ne pas dire joyeusement — aussi pouvez-vous du fond du cœur lui dire : « Va, mon fils, va où ton destin t'appelle, adieu mon fils, adieu. »

— *Pour une mort sans peur*, chap. « Savoir mourir ».

L'exigence de la voie

Les grandes lois
de l'existence

Life is a festival of newness.
La vie est un festival de nouveauté.

Un des aspects du mental, si vous voulez comprendre ce dont vous devez vous libérer, réside dans cette tentative à peu près permanente pour figer le cours des choses, pour nier le changement de toutes les manières possibles. Regardez en vous-mêmes tout ce à quoi vous vous attachez pour essayer d'établir une stabilité illusoire. Les réalités durent un certain temps : une maison a été construite, tôt ou tard elle tombera en ruine ou elle sera démolie mais elle dure malgré tout un certain temps. Seulement il s'agit d'une apparence de fixité sur laquelle nous ne pouvons pas compter. Dans le monde des formes, il n'y a que changement et le mental est constitué d'habitudes qui vous sécurisent illusoirement.

Pourquoi ne pas aller avec le mouvement ? Pourquoi refuser ? Il faudra bien un jour lâcher, aller avec le courant. C'est une danse. Dansez. Mais une danse représente un devenir, elle n'est pas fixe comme une peinture. Est-ce que vous allez un jour aller avec le mouvement de l'univers tel qu'il se manifeste dans vos vies, ce que Swâmiji qualifiait de *festival of newness*, une fête de la nouveauté ?

Acceptez les passages, les transformations. Entre la chenille et le papillon, il y a un passage que nous appelons la chrysalide. Acceptez, jouez le jeu, cessez de vous accrocher à vos repères et à vos habitudes.

— *La Voie du cœur*, chap. « La vie consiste à mourir »

LA LOI DE LA DIFFÉRENCE

If there are two, two are different.

S'il y a deux, deux sont différents.

C'est la grande affirmation de la sagesse traditionnelle, et c'est une affirmation que tout physicien peut reprendre à son compte. Deux sont différents premièrement dans le temps ; jamais deux instants ne sont identiques. L'instant, la totalité d'un instant, tout ce que comporte un instant, l'apparence physique, l'état intérieur de chacun de ceux qui sont réunis dans cette pièce à un moment donné, chaque instant est unique ; l'instant suivant est déjà différent ; quelque chose aura été changé dans cet ensemble et même, en vérité, tout aura été changé. Deuxièmement *dans l'espace*, si nous ne tenons plus compte de l'élément temps : s'il y a deux, deux sont différents. C'est une règle absolue et qui n'a jamais d'exception. Nous savons bien que s'il y a deux empreintes digitales, elles sont différentes et vous pouvez être sûrs que, dans le temps, depuis que l'humanité existe, il n'y a jamais eu deux empreintes digitales identiques qui se soient reproduites.

Ce monde des formes obéit à deux lois : dans le temps, la loi du changement — chaque instant est différent de l'instant précédent — et, dans l'espace, la loi de la différence — s'il y a deux, deux sont différents, irréductibles l'un à l'autre, uniques, sans comparaison possible.

— *À la recherche du Soi*, chap. « L'atma ».

———◦•◦———

LA LOI DE L'ATTRACTION
ET DE LA RÉPULSION

Physical means attraction and repulsion.
Physique signifie attraction et répulsion.

Un jour où j'utilisais le mot « métaphysique », Swâmiji m'a demandé : « Quel en est le sens ? » J'ai répondu : « au-delà du physique ». « Qu'est-ce que le physique ? » me demande à nouveau Swâmiji. Et lui-même me donne la réponse : « Physique signifie attraction et répulsion. » Le domaine physique, dans lequel Swâmiji incluait toute la « manifestation », y compris le plan subtil qui est aussi un plan matériel, est soumis à une première grande loi primordiale dont découlent toutes les autres lois, l'attraction et la répulsion : s'il y a deux, s'il y a dualité, deux sont en relation d'attraction ou de répulsion. Métaphysique signifie donc tout simplement au-delà de l'attraction et de la répulsion, c'est-à-dire véritablement au centre*.

———◦•◦———

Fear is negative attraction.

La peur est une attraction négative.

Nous n'avons peur que de ce par quoi nous sommes attirés lorsque, pour une raison ou pour une autre, nous nions cette attraction, nous refusons de la reconnaître.

Par ailleurs, si nous sommes attirés par un événement, par une situation, c'est qu'il nous correspond, que nous le portons en nous-mêmes, notamment comme une empreinte gravée en nous. C'est ce qui fait la différence des peurs pour les uns et pour les autres.

Si vous voulez comprendre vos peurs, vous n'y arriverez que si vous découvrez cette attraction en vous. Si un phénomène vous est tout à fait indifférent, ne vous concerne pas, n'a rien à voir avec vous, vous ne pouvez pas en avoir peur. Vous n'avez peur que de ce par quoi vous êtes concerné, ce par quoi vous êtes, d'une certaine manière à découvrir, attiré. Dans toute peur, il y a donc cette contradiction tragique entre une part de nous qui dit oui et une autre qui dit non. Si la peur est une émotion aussi insupportable, terrifiante, c'est parce que ce à quoi nous disons non se trouve en nous. L'attirance dont il s'agit doit être entendue d'une manière beaucoup plus profonde que la banale attraction superficielle, telle qu'être attiré par les jolies femmes ou par les voitures de sport. L'attraction, c'est une loi à l'œuvre, comme le fer est attiré par l'aimant. Nous pouvons être tout à fait d'accord ou au contraire résister à une attirance mais elle n'en est pas moins active. Attraction ou attirance peut signifier que nous désirons une chose, que nous la voulons, mais cela peut aussi signifier que nous sommes attirés malgré nous comme par un aimant. Par exemple, si j'ai perdu pied en montagne et que je glisse sur une pente très raide, la pesanteur m'attire vers le bas de cette pente, cette attraction s'impose et pourtant j'y résiste. S'il y a des attractions physiques comme l'exemple que je viens de donner, il existe aussi des attractions psychiques ou subtiles qui sont plus ou moins refoulées dans l'inconscient mais qui n'en existent pas moins.

— *Pour une mort sans peur,* chap. « Vaincre la peur ».

———•◆•———

Everything which comes to you comes to you because you attracted it.

Tout ce qui vient à vous vient à vous parce que vous l'avez attiré.

*T*out ce qui se produit, à tous les niveaux, est régi par des dynamismes d'attraction et de répulsion. Affirmer que nous attirons les situations n'implique en rien que nous avons voulu les attirer et pourtant, c'est à nous que ceci arrive, ceci plutôt que cela, et à nous plutôt qu'à un autre.

Un échantillon concret m'a mis sur la voie de la compréhension de cette affirmation. Un ashram en Inde est un lieu dont les portes ne sont pas fermées. Je me trouvais à réfléchir dans ma petite chambre lorsqu'a frappé à la porte un jeune Indien des environs, ayant appris qu'un Français séjournait auprès du Swâmi. Ce jeune homme avait quelque peu étudié le français au collège et il était tout content, dans ce lieu retiré, de pouvoir s'entretenir avec un étranger parlant français. Je souhaitais mettre de l'ordre dans les notes que j'avais prises en sortant de ma rencontre avec Swâmiji, préparer mon entretien du lendemain, mais je me suis demandé de l'accueillir très courtoisement et j'ai passé une heure avec lui. Seulement il est revenu le lendemain, puis le surlendemain. J'ai alors demandé conseil à Swâmiji et Swâmiji commence par me dire : « Il est venu parce que vous l'avez attiré. » Et, devant mon étonnement, il a poursuivi : «Vous l'avez attiré simplement en tant que Français. S'il avait appris qu'un Allemand séjournait à l'ashram, il ne serait pas venu le voir. »

Ce fut le point de départ d'une conviction qui ne peut s'approfondir que par une observation de plus en plus fine dans le courant de l'existence.

Il est bien évident que cette loi d'attraction joue aussi à des niveaux beaucoup plus subtils. Mais c'est toujours ce que nous sommes qui attire ce qui nous arrive*.

———•◆•———

Everything which comes to you comes as a challenge and as an opportunity.

Tout ce qui vient à vous vient comme un défi et comme une opportunité.

*F*aire disparaître les malheurs ? Vous n'avez aucun pouvoir. Mais accueillir la souffrance d'une manière révolutionnairement nouvelle, ce pouvoir, vous l'avez. Et ce pouvoir vous montrera que, si au lieu d'être refusée, niée et fuie, la souffrance est acceptée, elle cesse d'être douloureuse.

— *Pour une mort sans peur*, chap. « La seule issue ».

Minute après minute, voici les conditions que j'ai tant demandées pour pouvoir progresser. Et je ne m'en rends pas compte. Je continue à *penser* mon existence au lieu de la *vivre*, à être toujours dans le passé ou le futur, et à manquer l'opportunité de l'instant présent.

Cette fatigue va me permettre de progresser, ce malaise, cette anxiété, cette mauvaise nouvelle vont me permettre de progresser. Ce contretemps, cette inquiétude, tout ce qui arrive, si je l'accueille, va me permettre de progresser.

Alors vraiment, oui, le visage du monde change. Il n'y a plus d'épreuves, il n'y a que des bénédictions. « Tout concourt au bien de ceux qui aiment Dieu », tout concourt au bien de ceux qui sont engagés sur le chemin de la libération. Tout sans aucune exception.

— *À la recherche du Soi*, chap. « Le gourou ».

———•◆•———

Behind any manifestation look for the unmanifested cause ; manifestation is unreal, unmanifested is real.

Derrière toute manifestation, cherchez la cause non manifestée ; la manifestation est irréelle, le non manifesté est réel.

*R*elativement, il y a toujours quelque chose de plus réel par rapport à ce dont nous avons l'expérience. Il y a un non-manifesté qui est lui-même la manifestation d'un autre non-manifesté plus subtil et plus intérieur. Et ce non-manifesté plus intérieur est lui-même le manifesté d'un non-manifesté encore plus subtil, jusqu'au Non-Manifesté ultime au-delà duquel vous ne pouvez pas aller.

Si vous découvrez en vous des niveaux de réalité plus profonds, une série de non-manifestés successifs, si vous vous situez sur un plan suprapersonnel en vous, peu à peu les événements du monde ne pourront plus vous faire souffrir. Vous sentirez juste qu'ils n'affectent que le niveau irréel en vous, mais qu'au niveau réel ils ne peuvent pas vous perturber. Le Christ a dit : « Vous aurez des tribulations de par le monde mais prenez courage, j'ai vaincu le monde. »

Vous n'êtes plus centré en tant qu'un certain homme ou une certaine femme avec son physique, son instruction, son histoire personnelle, et tout ce qu'étudie la psychologie. Peu à peu, vous devenez l'Homme, vous atteignez donc le centre de l'être humain. Ce n'est plus « moi » que je découvre en moi mais la vie universelle. Du même coup, ce fameux ego s'amenuise et disparaît peu à peu. Vous n'êtes plus égocentrique mais dans l'axe même de toute cette manifestation ou création.

—— *Pour une mort sans peur*, chap. « La danse de Shiva ».

Les étapes du cheminement

Digest, assimilate, make it your own.
Digérez, assimilez, faites-en votre propre substance.

Step by step.
Pas à pas.

Le chemin se fait par étapes successives. Ces étapes se préparent, on traverse un moment de crise (au sens étymologique, c'est-à-dire « bouleversement qui va amener une situation nouvelle »), on digère, on assimile ; on se prépare de nouveau, on traverse à nouveau une crise qu'on digère et qu'on assimile. Et, de cette façon-là, morceau après morceau, la prison se désagrège, les voiles se dissipent, les liens se dénouent, les aveuglements font place à de nouvelles visions, jusqu'à la vision totale, incluant tout ce qu'il est nécessaire d'inclure.

C'est dans ces moments de crise qu'il ne faut surtout pas chercher à se protéger.

— *Le Vedanta et l'inconscient*, chap. « Tolérance et syncrétisme ».

You cannot jump from abnormal to supranormal.

Vous ne pouvez pas sauter de l'anormal au
supranormal.

First normal, then supranormal.

D'abord normal, ensuite supranormal.

Avant de pouvoir atteindre un niveau de conscience qui transcende notre perception habituelle et qui puisse être considéré comme supranormal, il est indispensable, inévitable, de réaliser d'abord pleinement la perfection du normal. Un vase ne peut déborder que quand il est plein. Nous ne pouvons avoir de réponses réelles aux questions fondamentales sur la vie, la mort, la survie que si notre être actuel est d'abord transformé.

En quoi consiste donc cette transformation ? Par où et comment peut-elle commencer pour vous, aujourd'hui, maintenant, tout de suite ? D'abord en vous situant sans mensonge à votre point de départ, en acquérant une connaissance véridique de ce que vous êtes, tout ce que vous êtes.

— *Les Chemins de la sagesse*, chap. « Devenir ce que nous sommes ».

Nous, Occidentaux, avons du mal à comprendre qu'une préparation méthodique nous est demandée, avant d'aborder l'enseignement ultime, qui nous conduit au-delà de toutes les réalités relatives. Nombreux sont ceux qui ont médité des milliers d'heures, année après année, dans l'espoir de réaliser le Soi, mais qui demeurent encore insérés dans toutes sortes de conflits et manifestent même de grandes faiblesses trahies par leur manque d'adaptation à l'existence, leurs peurs, leurs réactions, leur peu de maîtrise de soi.

En 1963, j'ai rencontré un yogi, un pur ascète, retiré loin des villes qui avait tout au plus quelques disciples engagés près de lui. Au bout d'un moment d'entretien, ce yogi me dit : «*What you need is to build an inner structure* », « ce dont vous avez besoin, c'est de bâtir une structure intérieure. » Je me souviens de la grimace que j'ai faite. Je me suis senti comme un bachelier qui, espérant entrer en faculté, s'entendrait déclarer : « Ce dont vous avez besoin, c'est d'apprendre à lire et à écrire. »

Avant de trouver Dieu, il faut d'abord, d'une certaine manière, vous trouver vous-mêmes. Si vous êtes trop vulnérables, trop faibles, oscillant de l'espérance au découragement, facilement émus, arrachés à vous-mêmes, vous ne pouvez pas directement accéder à la réalité supérieure. Swâmi Prajnânpad disait : «Vous ne pouvez pas bondir de l'anormal au supranormal. » Ce que Swâmiji appelait « anormal » ne relevait pas d'une psychose grave. C'est ce que nous appellerions peut-être une névrose légère. Anormal correspond à un fonctionnement du mental auquel malheureusement vous êtes, vous hommes et femmes modernes, à peu près tous soumis.

— *Approches de la méditation*, chap. « Le hara et le cœur ».

———◆———

You can accelerate the process, but you cannot jump.
Vous pouvez accélérer le processus mais vous ne pouvez pas sauter.

*I*nspiré par des considérations sur l'illumination subite, le mental peut rêver d'être tout d'un coup transporté sur un tout autre plan. Mais ce n'est qu'une illusion de plus. Dans le langage cinématographique, cela ne nous gêne pas de voir un homme sortir de sa voiture et, un cinquantième de seconde après, de le voir nu sous sa douche. Mais dans la réalité, rien ne peut nous éviter un centimètre du trajet total de la voiture à la douche. Par contre, il est possible de monter l'escalier d'un pas rapide, ou même très rapide, ou encore de prendre un ascenseur encore plus rapide.

Aucune étape ne peut être sautée mais on peut parcourir les étapes plus ou moins habilement.

Même si la sentence bien connue : « *Nothing to do, nowhere to go* », « rien à faire, nulle part où aller », a un sens au niveau ultime, pour l'instant ne vous laissez pas perturber par celle-ci et n'oubliez pas que les termes « la voie » ou « le chemin », qui indiquent bien une progression, se retrouvent dans toutes les traditions*.

On ne peut pas « faire » plus que l'on « est ». Mais l'homme peut activer, accélérer — immensément accélérer — le processus naturel de la limitation vers l'expansion, de l'avoir vers l'être. L'homme peut être un participant actif au mouvement de la Nature. De même qu'on peut cueillir sans dommage un fruit mûr avant qu'il tombe de lui-même, on peut donner la poussée finale à un détachement.

— *Monde moderne et sagesse ancienne*, chap. « Le chemin de l'être ».

———◆———

Revolution is the culmination of evolution.
La révolution est la culmination de l'évolution.

Cette formule n'est pas originale à Swâmi Prajnânpad mais elle résumait un point important de la démarche de progression sur la voie : un changement irrévocable se prépare plus ou moins longuement. Ancien professeur de sciences, Swâmiji a souvent utilisé avec moi l'image de la cristallisation : on augmente la quantité de sel dissous dans une solution, rien ne se produit apparemment jusqu'à ce que le degré de saturation ait été atteint ; il en est de même dans notre pratique : quand le degré de saturation a été atteint, il suffit d'un petit événement, un catalyseur, pour que la métamorphose se produise*.

Le prix à payer

It is not a joke.
Ce n'est pas une plaisanterie.

———•◆•———

You will have to pay the full price.
Vous aurez à payer le prix complet.

*V*ous devez vous situer à l'intersection de deux langages : celui qui dit à chaque homme que ces promesses peuvent se réaliser pour lui — ne soyez pas pleutre, ne soyez pas timoré — et le langage qui dit : ces promesses ne se réaliseront pas à bon marché. Mais les Occidentaux ne veulent pas entendre ce langage et veulent à tout prix considérer que l'Illumination est pour tout le monde et à bon compte, alors qu'ils savent parfaitement que, par ailleurs, rien ne s'obtient sans y mettre le prix. Il n'y a qu'à ouvrir les yeux autour de nous pour savoir que tout se paie et que, dans de nombreux domaines, les Occidentaux sont capables de payer. Mais, pour la spiritualité, on veut que tout soit donné et que le chemin consiste uniquement à aller de mieux en mieux tous les jours, depuis la nullité, la médiocrité et la souffrance jusqu'à la sagesse suprême.

Il faut une crise décisive pour que tout change complètement et radicalement, au lieu de modifications à l'intérieur du monde du mental. L'enseignement de Swâmiji ne permet pas de rêver longtemps. Très vite, les masques tombent, les rêves sont brisés et vous êtes plongés dans votre propre réalité. Cette réalité, exprimez-la en termes de dragons et d'archétypes, ou en termes de peurs et de désirs impossibles à assumer. Votre propre réalité est une jungle. C'est cette forêt pleine de ronces et de bêtes fauves que doit traverser le Prince Charmant avant d'atteindre le château où dort la Belle au Bois Dormant (un des contes de fées les plus directement symboliques de la quête intérieure). Les gardiens du seuil sont en vous, les monstres sont en vous, les abîmes sont en vous.

Est-ce que vous allez essayer de vivre à la surface tout en rêvant de mort et de résurrection ? Ou est-ce que vous allez quitter le plus vite possible la surface, descendre dans la profondeur et passer par cette crise au cours de laquelle les structures mentales dualistes ordinaires chancellent et vacillent de toute part ?

Aucun maître n'a jamais promis que le chemin était semé de pétales de roses. Tous ont dit qu'il y avait des épreuves à traverser, des moments de mort à soi-même où on ne se reconnaît plus. Mais, en ce qui concerne le chemin, bien peu de chercheurs spirituels sont prêts à accepter qu'ils vont à la rencontre d'un grand nombre d'épreuves et de crises, au sens étymologique du mot, c'est-à-dire un bouleversement intérieur qui fait que les choses ne seront plus jamais ce qu'elles étaient.

Les ailes ne poussent pas sur le dos des chenilles. Si vous voulez la transformation, vous devrez passer par cette étape qui correspond dans le monde animal à la chrysalide. C'est une espérance vaine et illusoire de l'ego qu'on pourra gagner sans rien perdre. On n'a jamais obligé personne à s'engager sur le chemin. Mais celui qui veut « mourir pour renaître » doit bien comprendre qu'avant de renaître, il faut mourir. Celui qui veut se transformer doit bien comprendre que sa forme actuelle, la façon dont il se sent être, dont il se conçoit et dont il conçoit le monde autour de lui, devra disparaître avant qu'une autre réalité se révèle.

Je parle pour ceux qui se sentent progresser dans certains domaines mais qui comprennent aussi que, s'ils veulent poursuivre plus loin, ils doivent s'engager résolument dans la nouveauté et non continuer à tourner en rond dans les mêmes habitudes émotionnelles et mentales, et sur le même terrain connu. Le voyage vers le centre de soi-même est un voyage d'exploration. Il faut quitter sa petite maison ordinaire, celle des pensées, des émotions, des sensations habituelles, celle de la conscience de l'ego (moi, tel que je me connais et tel que je me répète indéfiniment) pour aller vers l'inconnu et vers le nouveau, vers des pays intérieurs qu'on n'a jamais visités.

> — *Au-delà du moi*, chap. « Le prix de la liberté ».

Vous aurez à vivre bien des tribulations durant ce processus de mise au jour des dynamismes profonds, des haines et des révoltes latentes, des rêves et des enthousiasmes qui vous habitent. Tout doit être ramené à la surface et dissipé. Un « récurage » s'impose et il faudra le mener jusqu'à son terme. Souvenez-vous : «Vous aurez à payer le prix complet. » La purification du psychisme[1] se pratique dans tous les ashrams, même si l'on ne s'allonge pas pour revivre des souvenirs d'enfance comme dans la méthode des « *lyings* »[2]. Ce nettoyage s'accomplit sous la forme d'émotions très fortes, de moments durs et difficiles mais qui sont traversés avec une

---

1. *Chittashuddi*, en sanscrit.
2. Technique de plongée dans l'inconscient propre à la voie de Swâmi Prajnânpad. Voir à ce sujet le chapitre « La purification de l'inconscient » dans *Le Vedanta et l'inconscient* ainsi que l'ouvrage du Dr Massin, d'Éric Edelmann et d'Olivier Humbert, *Swâmi Prajnânpad et les* lyings.

tout autre attitude et une tout autre compréhension que dans la vie ordinaire. Dans la vie ordinaire aussi on est malheureux, secoué, révolté, on déteste celui ou celle que l'on croyait aimer, on prend peur, on est submergé par les angoisses, on a l'impression que l'on n'a plus qu'à se suicider... et puis de nouveau on est plein d'enthousiasme. Tout le monde vit un jour ou l'autre des émotions fortes, des moments pénibles ou douloureux. Il en est de même sur la voie mais un disciple les vit avec une conscience, une présence à soi-même, une compréhension des processus à l'œuvre en lui tout à fait différentes de ceux qui sont emportés par le jeu de l'action et de la réaction. Disciple ou pas, vous avez à vivre votre *karma*. Ce stock d'émotions latentes, quelle que soit leur origine, est en vous et le maître, quel que soit son amour, ne peut pas vous éviter des moments de crise. La compassion du *guru*, puisqu'il ne peut pas, d'un coup de baguette magique, vous conduire sur l'autre rive, va consister à vous permettre (et, s'il le faut, à vous y pousser, en fonction de vos possibilités) de vivre ces moments difficiles le plus intensément possible pour atteindre l'autre rive le plus rapidement possible. Ce que nous portons dans notre psychisme s'actualise au cours de notre existence, nous avons donc tous à passer par un certain nombre de situations dont les causes sont en nous.

— *L'Ami spirituel*, chap. « Si ton mental meurt, tu vis ».

——◆——

The way is not for the coward but for the hero.
La voie n'est pas pour le lâche mais pour le héros.

Dès que le chemin devenait difficile, j'avais droit à cette parole de Swâmiji : « La voie n'est pas pour le lâche mais pour le héros. » Maintenant, à moi de choisir

Certains d'entre vous sont engagés dans une exploration intérieure qui les confronte avec ces dragons, ces gardiens du seuil, ces forces décrites comme terrifiantes dans les textes traditionnels. Non seulement il n'y a pas à s'inquiéter mais, si on a une âme de « héros », il faut au contraire se réjouir et se dire : « après tout, je l'ai voulu, j'y suis ». Il y a bien une part de vous qui a peur et il y a une autre part de vous — le chevalier — qui est mue dans la profondeur par cette nécessité : « je ne peux pas ne pas continuer sur ce chemin ». Alors, n'y allez pas à moitié. Allez-y courageusement, allez-y en héros, engagez-vous dans ces terres inconnues de la conscience à l'intérieur de vous ; perdez vos points d'appui habituels ; affrontez bravement les périodes où vous ne vous reconnaissez plus, où vous ne vous comprenez plus — et allez de l'avant. Si la conscience réelle est là comme témoin, si elle est là comme vigilance, vous pouvez continuer, vous ne risquez rien.

Qu'est-ce qui meurt dans cette crise ? Qu'est-ce qui craque de partout ? Le mental. Mais c'est précisément à la destruction du mental que vous aspirez. Qu'est-ce qui meurt ? L'ego, votre expérience de vous-même et de la vie dans la dualité. Mais vous aspirez au dépassement de l'ego, vous aspirez à passer au-delà de la dualité et à découvrir le Un ou la non-dualité. Et qu'est-ce qui ne meurt pas ? L'*atman*, le témoin.

Attachez-vous à cette vérité : je peux tout perdre parce que l'essentiel ne peut pas être perdu ; et c'est quand j'aurai tout perdu que je serai libre — libre de toutes les identifications, de tous les attachements, de toutes les limitations.

Un moment vient où le chemin paraît se rétrécir de plus en plus ; il faut encore perdre, il faut perdre encore, pour devenir de plus en plus pauvre, de plus en plus nu, jusqu'à passer par un point, le point géométrique qui n'a aucune dimension. La seule réalité qui demeure, c'est la Conscience, dépouillée de tous ses revêtements. Si vous allez jusqu'au bout, au moment où vous avez tout donné, la Réalité se révèle, l'Éveil se produit, l'ego a perdu sa magie et son pouvoir, c'est fini : vous êtes libre ! Mais vous ne pouvez rien garder. Si vous voulez aller, dans cette vie, jusqu'au bout − et l'ultime réalisation, c'est le jusqu'au bout − il faudra tout lâcher. TOUT.

— *Au-delà du moi*, chap. « Le prix de la liberté ».

—•◆•—

Don't make it cheap.

Ne le faites pas bon marché.

*L'*ultime message que j'ai entendu de la bouche de Swâmiji concernait le futur ashram du Bost ; il n'était pas pour moi, il était pour vous : « *Don't make it cheap* ! », ne le faites pas bon marché, à tous égards. Swâmiji savait que c'était le plus important à dire, parce que ce qui pèse le plus lourd dans la balance du sommeil en Occident − non pas en ce qui concerne les chaînes électro-acoustiques que l'on est prêt à payer très cher mais en ce qui concerne les gurus et la spiritualité − c'est l'incapacité à évaluer le prix de ce qui est le plus précieux au monde. C'est bien pour cela que tant de maîtres rendaient autrefois leur abord si difficile − alors que beaucoup, dans le monde moderne, ont accepté de diffuser largement leur message − et commençaient par imposer de sévères épreuves aux candidats afin de tester leur qualification avant de les accepter comme disciples.

— *L'Ami spirituel*, chap. « Suis-je un disciple ».

La relation au maître

You have the right to test the guru.

Vous avez le droit de tester le guru.

Ce qui fait, entre autres, la qualification du disciple, c'est sa capacité de discrimination dans ce domaine pour éviter de s'en remettre à quelqu'un qui n'est pas digne de confiance ou au contraire de laisser échapper un maître authentique. C'est au disciple qu'il incombe de ne pas suivre n'importe quelle impulsion émotionnelle (depuis la suspicion systématique jusqu'à la naïveté totale) et d'essayer de sentir ce qu'il en est vraiment.

— *L'Ami spirituel*, chap. « Le droit de douter ».

———— ◆ ————

If there is doubt – and doubt is but normal and natural – you have the privilege to ask and be convinced, not to interpret.

Si vous avez un doute – et le doute n'est que normal et naturel – vous avez le privilège de demander et d'être convaincu, pas d'interpréter.

Partons du point de vue que le maître auquel vous vous adressez est un maître authentique. Tant que le maître me « caresse dans le sens du poil », tant qu'il me semble qu'il me confirme, les doutes ne naîtront pas. Mais dès que son attitude vient heurter les convictions erronées de mon propre mental, il est probable que je vais réagir et chercher à le prendre en défaut.

N'étouffez jamais un doute qui monte à l'esprit, ce serait une erreur. Vous seriez alors dans le déni d'une partie de vous-même qui, pour être refoulée, n'en demeurerait pas moins active dans la profondeur de votre psychisme, suscitant un malaise inexplicable en face de celui qui est supposé vous guider. Ces doutes font partie intégrante de la voie et trouvent pour la plupart leur origine dans des dynamismes inconscients remontant à l'enfance. Suivant ce que je projette sur le *guru*, je colore, j'interprète subjectivement les comportements du *guru* en question. Ce jeu des projections, ce transfert d'une image ancienne sur le *guru*, fait partie de la voie car ce n'est qu'au moment où une projection se manifeste à la surface sous forme d'émotions et de pensées diverses qu'il est possible d'en prendre conscience et de s'en libérer. C'est au maître de rester toujours neutre, toujours ouvert, toujours bienveillant, d'assumer, d'intégrer complètement les émotions et les doutes en question. Mais il incombe au disciple de ne jamais les nier et de les clarifier complètement.

Laissez monter les doutes, regardez-les. Voyez en toute lucidité quelle action vous pouvez entreprendre pour les dissiper — par exemple en parler à cœur ouvert à votre maître, quitte à décider ensuite, si vous n'êtes pas convaincus par ses réponses, de vous séparer de lui. Mais ne vous faites pas ce tort qui consiste à demeurer dans le doute sans vous l'avouer vraiment et à rester auprès d'un maître en qui vous n'avez plus confiance. Mais, d'un autre côté, ne doutez pas à tort et à travers parce que tel ou tel détail ne correspond pas à votre manière de voir.

— *L'Ami spirituel*, chap. « Le droit de douter ».

Swâmiji has no disciples, Swâmiji has only candidates to discipleship.

Swâmiji n'a pas de disciples, seulement des candidats à l'état de disciple.

*U*n jour, je parlais à Swâmiji de ses disciples français et indiens. Il me répondit : « Swâmiji n'a pas de disciples. Swâmiji n'a que des candidats à l'état de disciple. » Je n'ai demandé aucune explication. J'ai brusquement réalisé que c'était vrai et j'ai vécu en quelques secondes toute l'intensité de la souffrance, en m'entendant dire, après tant d'années que j'avais considérées comme autant d'efforts et d'épreuves auprès de Swâmiji : « Swâmiji n'a pas de disciples. » Après avoir tellement voulu, fin 1964, rencontrer un véritable gourou auprès de qui je puisse me sentir à part entière sur le chemin sans abandonner mes obligations sociales, familiales et professionnelles, je me suis enfin retrouvé dans cette même intensité de demande : « Je voudrais devenir un disciple. »

Comment peut-on se dire disciple tant qu'on n'a pas l'être d'un disciple, qu'on n'a pas compris avec tout soi-même ce que c'est que d'être disciple, tant qu'on n'a pas davantage compris ce que c'est qu'un gourou en face de soi ?

— *À la recherche du Soi*, chap. « Le gourou ».

Le titre trop galvaudé de disciple représente un degré déjà élevé d'évolution. C'est donc tout à fait faux de se croire disciple parce qu'on l'a décidé. Le disciple est celui qui comprend l'enseignement, qui comprend le maître, et qui consacre son existence entière à progresser sur la voie.

« Apprenti-disciple » veut dire que je ne suis pas encore capable d'une relation pure et véridique avec celui que je considère comme mon *guru*. Tant que les émotions infantiles réprimées dominent votre relation avec le maître, vous êtes encore susceptibles de réactions qu'un véritable disciple a appris à maîtriser. En fait, bien peu nombreux sont ceux qui ont vraiment confiance en leur maître. Si j'ai peur, tant soit peu peur, je ne peux pas encore prétendre : c'est mon *guru*. Si vous avez peur, vous ne pourrez pas vous ouvrir de la même manière à l'enseignement et l'influence bénéfique transmise de maître à disciple ne jouera pas son rôle pour vous en toute plénitude.

La première qualité qu'on attend d'un apprenti-disciple pour qu'il devienne disciple un jour, c'est le courage de se montrer à nu devant son maître, sans rien cacher de ses faiblesses et de ses imperfections.

— *L'Ami spirituel*, chap. « Ai-je un guru ? ».

———•◆•———

Why do you take time and energy from Swâmiji ?

Pourquoi prenez-vous le temps et l'énergie de Swâmiji ?

Outre les disciples indiens, nous étions neuf Européens qui nous rendions régulièrement auprès de lui. Un jour, nous avons reçu une lettre photocopiée écrite de sa main disant que plus aucun d'entre nous ne pouvait réclamer un nouveau séjour auprès de lui mais que nous pouvions de nouveau poser notre candidature. Nous devions donc répondre à un certain nombre de questions d'une manière qui convainque Swâmiji. À la vérité, quelle qu'ait pu être la réponse, tout le monde a pu de nouveau faire un séjour auprès de Swâmiji. Mais, au moins pendant un certain nombre de jours, j'ai été sérieusement remué et obligé de réfléchir en profondeur à ma relation avec Swâmiji de façon à pouvoir lui répondre.

— *L'Ami spirituel*, chap. « Suis-je un disciple ».

———•◆•———

Let Swâmiji poison you !
Laissez Swâmiji vous empoisonner !

Si quelqu'un met tous les jours une petite dose de poison dans la nourriture d'un autre, l'organisme de cette personne s'en trouve peu à peu imprégné. Dans le cas particulier, il s'agit d'être imprégné de perceptions et de conceptions justes qui prennent progressivement la place de nos mécanismes égocentriques erronés.

À partir du moment où j'ai vraiment su que Swâmiji n'était pas un autre que moi mais le représentant de ma vérité la plus profonde, j'ai compris que plus je m'ouvrirais sans réserves à son influence, plus je serais libéré de mes conditionnements et plus je deviendrais enfin moi-même*.

———•◆•———

You can follow Swâmiji, you cannot imitate Swâmiji.
Vous pouvez suivre Swâmiji, vous ne pouvez pas imiter Swâmiji.

Est-ce qu'un guru nous rend à nous-mêmes ou est-ce qu'il fait de nous sa propre caricature ? Est-ce que notre but est de tellement admirer un homme que nous voudrions l'imiter ? Ou est-ce que notre but est de redevenir nous-mêmes, d'être libres même de notre guru et de le rejoindre sur le plan suprême de la liberté ?

L'ego a le désir d'imiter et l'élève a le désir d'imiter le guru qu'il admire et d'en faire un modèle extérieur. Vous connaissez probablement la parole du zen : « Si vous rencontrez le Bouddha, tuez-le ! » Sinon, vous demeurez des esclaves et la relation avec le guru, aussi admirable soit-elle, demeure dans la dualité.

Quand j'ai tué le Bouddha extérieur à moi — si vous comprenez bien le sens de cette parole — un être impersonnel mais qui, pour moi, a pris forme dans le relatif, vit en moi. Mais je dis bien : un être impersonnel.

Quand la forme du guru est dépassée, son essence qui avait pris forme et qui est sans forme vit en nous.

— *Le Vedanta et l'inconscient*, chap. « Tolérance et syncrétisme ».

————◆————

Infinite love, infinite patience.
Amour infini, patience infinie.

Quand Swâmiji séjournait à Bourg-la-Reine en 1966, notre fille Muriel avait alors neuf ans. Elle avait déjà l'expérience de deux longs séjours en Inde et rencontré bien des sages pendant ces voyages. Elle m'a fait traduire à Swâmiji : « Est-ce que Swâmiji a des pouvoirs miraculeux ? » Swâmiji a répondu que non. Muriel, qui savait que Mâ Anandamayi et Swâmi Ramdas avaient des pouvoirs, a été un peu surprise. Swâmiji a alors précisé : « Swâmiji a eu des pouvoirs mais ils ont disparu. » Cette réponse n'était pas encore satisfaisante pour l'enfant. Aussi Swâmiji a-t-il dit : « Si, Swâmiji a deux pouvoirs miraculeux, *infinite love, infinite patience*, amour infini, patience infinie. »

— *À la recherche du Soi*, chap. « L'amour ».

Que puis-je entrevoir de la libération ?

Do you know what is moksha ? Complete release of all tensions, physical, emotional and mental.

Savez-vous ce qu'est la libération ? Le relâchement complet de toutes les tensions, physiques, émotionnelles et mentales.

De temps à autre, Swâmiji me demandait : « Savez-vous ce qu'est la libération, Arnaud ? » Je me gardais bien de répondre et de donner une des définitions classiques de *moksha* pour entendre sa réponse à lui. *Moksha*, le suprême accomplissement possible à l'homme, est toujours décrit en termes de transcendance, d'infini, d'éternité. Swâmiji en donnait des définitions beaucoup plus accessibles et bouleversantes. Un jour, il m'a dit : « La libération, c'est le relâchement complet de toutes les tensions, physiques, émotionnelles et mentales. » J'ai alors réalisé, en un instant, que toute mon existence n'était faite que de tensions, avec par moments, après une heure de yoga, de « méditation » ou quand un désir était momentanément satisfait, un peu de détente à la surface.

Ce mot *release* signifie d'ailleurs plus que relâchement, il signifie « libération », au sens où on relâche un prisonnier, par exemple. Libération de toutes les tensions signifie donc ne plus les maintenir, ne plus les garder en nous, car c'est nous qui sommes les gardiens consciencieux de notre propre prison. Cette définition est à rapprocher d'une autre, plus classique : « La libération, c'est la disparition définitive de tous les désirs et de toutes les peurs. » En effet, dès qu'il y a désir ou peur, il y a tension.

Si l'on nous propose comme but la complète suppression de toutes les tensions, nous adhérons tout de suite. Qui ne souhaiterait être profondément détendu ? Mais quand on nous dit que cette détente complète est synonyme de l'état-sans-désir, l'ego s'affole, puisqu'il n'est fait que de désirs.

— *À la recherche du Soi*, chap. « L'état sans désirs ».

La première détente, c'est l'acceptation complète des tensions qui n'ont pas encore lâché*.

———•◆•———

Complete slavery is perfect freedom.
L'esclavage complet, c'est la liberté parfaite.

*I*l n'est plus question de savoir ce qui me plaît, ce qui ne me plaît pas, ce dont j'ai envie, ce qui me fait peur, ce qui m'attire, ce qui me repousse, ce qui m'inquiète ou ce qui me rassure. Il est uniquement question de savoir ce qui doit être accompli dans une soumission consciente, heureuse, à l'ordre des choses. On peut l'exprimer en langage dualiste et théologique : soumission complète à la volonté de Dieu, renoncement complet à sa volonté propre ; ou en termes de taoïsme ou de bouddhisme zen : soumission à l'ordre des choses, non-agir. Si le mental a totalement disparu, il n'y a même plus, selon l'expression traditionnelle, « l'épaisseur d'un cheveu » entre moi et le monde, entre ma volonté et la marche de l'Univers : les deux ne font plus qu'un. L'accord est si parfait avec le cours des choses que l'on se trouve autant d'accord que si l'on était l'auteur de la grande comédie universelle. Je suis, d'instant en instant, d'accord, totalement d'accord. Je ne me situe plus au cœur d'un ego individualisé mais au centre de la marche même de l'Univers, dans le Aum ou le Amen permanent.

> — *À la recherche du Soi*, chap. « Mahakarta, mahabhokta ».

Si vous voyez que vous êtes esclaves de mécanismes implacables qui vous maintiennent dans la souffrance, vous comprendrez que vous ne pouvez vous en libérer qu'en passant par une autre obéissance. D'innombrables lois étudiées par les sciences humaines ont pouvoir sur vous. Et la libération consiste sinon à s'affranchir de toutes les lois du moins à en réduire considérablement le nombre : au lieu d'être soumis à des centaines de lois, celles qu'étudient psychologues et sociologues, vous ne serez plus soumis qu'à certaines lois physiologiques telles que la nécessité de respirer, de manger, de digérer, de vieillir et de mourir. Mais cela ne se fera que si vous choisissez délibérément un autre esclavage, l'esclavage à la vérité, l'esclavage à la nécessité (ou à la justice) des situations, l'esclavage à la réalité totale lucidement perçue. Seul cet esclavage librement consenti vous libère de l'esclavage intérieur.

L'affranchissement que nous proposent les différentes voies spirituelles est une forme de soumission mais une soumission bienheureuse, d'où la formule surprenante de Swâmiji : « L'esclavage parfait, c'est la soumission parfaite », mais l'esclavage non plus à votre mental, l'esclavage à la Vérité, l'acquiescement aux choses telles qu'elles sont, l'adhésion parfaite à la réalité d'instant en instant. Le mot islam lui-même signifie soumission. Mon ego ne veut pas qu'il en soit ainsi mais la vérité c'est qu'il en est ainsi. Ici et maintenant, qu'est-ce qui doit être accompli ? Ici, maintenant, qu'est-ce qui m'est demandé ? Si vous pouvez un jour découvrir ce

« bienheureux esclavage », vous agirez consciemment au lieu d'agir mécaniquement et vous serez souverainement libres.

— *L'Ami spirituel*, chap. « Obéissance et liberté ».

———•◆•———

You are peace, you are truth.
Vous êtes la paix, vous êtes la vérité.

*L*es enseignements spirituels de toutes les traditions affirment que ce que nous recherchons est déjà en nous, voilé par les agitations de la surface. Lors d'un de mes premiers entretiens avec Swâmij Prajnânpad, j'ai mentionné : « Je sais que la paix, la sérénité sont déjà en moi. » Il a immédiatement rectifié : « Non, vous êtes la paix, vous êtes la vérité. » Je me suis alors souvenu qu'à travers la traduction anglaise de mon interprète, le maître tibétain Kalou Rinpoché m'avait dit quelques semaines auparavant, mot pour mot, ce que Swâmiji venait de me dire*.

———•◆•———

There is no seer and no seen, there is only seeing.
Il n'y a pas celui qui voit et ce qui est vu, il n'y a que vision.

*C*e genre de parole exprime le niveau ultime de la voie. Vous trouveriez aussi dans certains textes traduits en français, et tout à fait indépendamment de Swâmi Prajnânpad : « Dépasser la distinction du sujet et de l'objet. » Il s'agit d'une expérience de non-séparation ou, selon l'expression consacrée, de non-dualité, ou encore d'effacement de l'ego. Si « je » ne suis plus là en tant que réalité définie et limitée, ma perception devient complètement pure et il devient approprié de ne plus dire « j'écoute Caroline » mais « Caroline est écoutée ». Par là même, la dualité habituelle sujet-objet est mise en cause et l'unité se révèle*.

———•◆•———

There are countless births and deaths but, in truth, there is no birth and no death.

Il y a d'innombrables naissances et morts mais, en vérité, il n'y a ni naissance ni mort.

L'atman ne naît ni ne meurt. Même la naissance et la mort prennent place à l'intérieur de la Conscience. La vérité ultime est que la Conscience pure n'est jamais née et ne mourra jamais.

À la différence des Occidentaux qui opposent couramment la mort et la vie, les Orientaux opposent la mort et la naissance. La vie elle-même n'est pas impliquée dans le jeu des contraires. La vie éternelle s'exprime par le changement. À chaque instant, ce qui était n'est plus, déjà remplacé par quelque chose de différent. « Rien ne se perd, rien ne se crée mais tout se transforme. » Par la loi même de l'impermanence, il n'y a pas une naissance qui ne soit une mort ni une mort qui ne soit une naissance*.

———•◆•———

Swâmiji is eating Swâmiji with the help of Swâmiji. Who is Swâmiji ?

Swâmiji mange Swâmiji à l'aide de Swâmiji. Qui est Swâmiji ?

*U*ne affirmation au premier abord aussi incompréhensible évoque trois éventualités : ou cette phrase n'a aucun sens, ou celui qui la prononce la répète par pure fidélité à des idées védantiques, ou elle exprime une réalisation personnelle. Notre approche courante de tout aspect de la réalité est fondée sur la séparation « moi et »... quelque chose d'autre. Cet autre est d'abord perçu à travers nos projections et nos jugements subjectifs, ce que Swâmiji appelait penser au sujet de la réalité et non pas voir la réalité. Vient ensuite, avec la pratique, une relation beaucoup plus impartiale, lucide et objective.

Lors de mon dernier séjour auprès de Swâmi Prajnânpad, j'assistais à son repas. À la fin de celui-ci, il mangeait du fromage blanc avec une petite cuillère. Je me suis rendu compte, plusieurs séjours auparavant, que je projetais sur ce fromage blanc hindou les yaourts que je détestais dans mon enfance mais que ma mère réussissait à me faire avaler avec une petite cuillère en argent, celle-ci devenant un symbole de l'amour maternel, et Swâmiji connaissait ce détail. Une vision encore relative perçoit la réalité sans aucune projection.

Quand Swâmiji a rompu son silence pour me demander : « Que fait Swâmiji ? », j'ai répondu, dans une sorte de complicité avec lui : « Swâmiji mange du channa avec sa cuillère usuelle. » Et Swâmiji a tranquillement rectifié : « Swâmiji mange Swâmiji avec l'aide de Swâmiji. Qui est Swâmiji ? » Il était évident que cette question ne demandait aucune réponse immédiate.

La vision absolue est celle de l'unité dont la multiplicité est l'expression. La même idée aurait pu être formulée par : « L'atman mange l'atman à l'aide de l'atman*. »

En guise de conclusion

Be happy !
Soyez heureux !

Be happy !
Soyez heureux !

J'ai entendu un jour un commandement tout à fait étonnant de la bouche de Swâmi Prajnânpad. C'était à la fin de mon premier séjour auprès de lui, en mars 1965. Je m'étais mis en tête que, quand on avait rencontré son gourou, celui-ci devait donner une initiation en bonne et due forme, et notamment un « mantram »[1]. Mais Swâmiji avait éludé mes tentatives en ce sens. Je m'y suis alors pris autrement et je lui ai demandé : « Je voudrais que Swâmiji, à défaut d'un mantram, me donne une formule qui résume tout son enseignement en quelques mots. » Il m'a répondu : « Oui, au moment de votre départ, Swâmiji vous donnera la formule. » Le jour de ce départ approche et un matin, après le petit déjeuner, je vais dire au revoir à Swâmiji, assez impressionné d'avoir connu un sage qui parlait anglais, qui répondait à mes questions et qui me donnait un enseignement détaillé et méthodique. Et Swâmiji m'annonce : « Maintenant Swâmiji va vous donner la formule. » Il me regarde et il me dit assez solennellement mais en souriant : « *Be happy, Arnaud* », « Soyez heureux ».

---

1. *Mantram* : formule sanscrite donnée par un maître et résumant pour le disciple le cœur de sa démarche.

Je n'étais pas spécialement malheureux à ce moment-là, ma vie professionnelle s'était considérablement améliorée après des années assez dures à vivre, j'étais passionné par mes longs voyages en Asie, par les tournages de films, j'aimais beaucoup mon existence aventureuse et libre de cinéaste-explorateur, mais ce « *Be happy, Arnaud* » m'a fait éclater en sanglots. C'était si simple, si fort, si terrible que je l'ai senti comme un commandement solennel. Je n'avais pas envisagé la vie spirituelle d'une manière aussi directe et aussi simple. J'avais envisagé les états supérieurs de conscience, les *samadhis*, mais ces mots étaient totalement inattendus pour moi. Le but de la spiritualité était aussi simple que cela. Je ne pouvais ni fuir ce but ni tricher avec lui. Si je prenais Swâmiji au sérieux – et je prenais Swâmiji au sérieux – je ne pouvais plus oublier ces mots…

— *Pour une vie réussie*, chap. « Be happy ».

——•◆•——

Thank yourself.
Remerciez-vous vous-même.

Un jour, j'ai vraiment dit merci à Swâmiji. Et j'étais sincère. Ce n'était pas un « *thank you* » du bout des lèvres. Il m'a répondu : « Remerciez-vous vous-même. » J'ai ressenti avec le cœur ce qu'il voulait dire : « Vous êtes heureux grâce à Swâmiji ? Eh bien, remerciez-vous d'être venu à l'ashram. Remerciez-vous d'être resté au lieu de partir à la première difficulté. Remerciez-vous d'avoir écouté Swâmiji, au lieu de répondre "oui, mais…" dès qu'il ouvrait la bouche. »

La gratitude vis-à-vis de vous-même, voilà l'un des premiers sentiments religieux que vous pouvez connaître. Ce n'est pas de l'égoïsme. L'égocentrisme, c'est ce à quoi nous sommes condamnés quand nous ne pouvons pas nous aimer. Et l'amour de nous-mêmes, pas la vanité ou l'amour-propre, le véritable amour viendra par la reconnaissance : « Oh, j'ai été enfin capable de me rendre heureux. »

        —— *L'Audace de vivre*, chap. « Bonheur, gratitude, amour ».

Cet ouvrage a été imprimé par
CPI Firmin Didot à Mesnil-sur-l'Estrée
pour le compte des Éditions de La Table Ronde
en juin 2009

Dépôt légal : septembre 2003.
N° d'édition : 170910.
N° d'impression : 95775.

Imprimé en France.
R4.